大本宣伝歌

出口王仁三郎著

月宮殿前に立たれる　出口聖師

目次

一　基本宣伝歌

霊主体従　子の巻（一）

大本の二大教祖の大精神と、教理の神髄を明示された、大本の神教宣伝歌の粋。

朝日は照るとも曇るとも　月は盈つとも虧くるとも
たとへ大地は沈むとも　曲津の神は荒ぶとも
誠の力は世を救ふ

○

三千世界の梅の花　一度に開く神の教
開いて散りて実を結ぶ　月日と地の恩を知れ
この世を救ふ生神は　高天原に神集ふ

○

神が表に現はれて　善と悪とを立別ける
この世を造りし神直日　心も広き大直日
ただ何事も人の世は　直日に見直せ聞直せ
身の過ちは宣り直せ

二　救ひの御船（祝部神）

霊主体従　辰の巻（五）　第三五章「波上の宣伝」
瀬戸の海（地中海）の一つ島から西南さして航海中、祝部の神が船客に宣伝した一節である。

朝日は照るとも曇るとも　月は盈つとも虧くるとも
たとへ大地は沈むとも　誠の神は世を救ふ

誠の神は世を救ふ
神の造りし神の世ぢや
力になるは神ばかり
柱となるべきものはない
地震かみなり火の車
中に漂ふこの船は
喜び勇め神の恩
天地は神の意のままぞ
畏れといつても卑怯心
神の力を崇むることぞ
神に抱かれし吾々は
たしかな神の御教の

勇みて暮せ　勇みて暮せ
神から生まれた神の子ぢや
神より外に杖となり
雨風荒き海原も
何の恐れも荒浪の
神の恵みの御試し
讃めよ称へよ神の徳
天を畏れよ地を畏れ
出してぶるぶる慄ふでないぞ
いかなる災難きたるとも
神の助けはたしかなり
救ひの船に身を任せ

任せきつたる　暁は　　千尋の海も何のその
海の底にも神坐せば　　たとへ沈んだところーで
どこにも神は坐すぞ　　讃めよ称へよ祈れよ歌へ
歌ふ心は長閑なる　　春の花咲く神心
神の心になれなれ一同　　一度に開く梅の花
一度にひらく梅の花

三　大歳の神（若年神）

霊主体従　巳の巻（六）　第四六章「若年神」
田植えの時に神様を祭らず、両便で田を汚し、牛の肉を食べ、月経の女が田植えをしたりした報いは眼のあたり、折角大きくなった稲は虫害によって冬の枯れ野のごとくなってしまい、御年村の百姓は田の畔会議をやっている。かかる所へ宣伝歌を歌いつつ若年の神の化身現れ給い、百姓を戒めてこれを救い給う。

命の親を植ゑつける
お土を汚し火を汚し
食つた報いは眼のあたり
山の木草の蒼々と
冬の荒野の如くなり
百姓の行ひを
年も豊かに実らせて
埴安彦や埴安の
百姓と名に負ひし
秋の実りのたわたわに
膨るるばかり与へかし

夏の初めの田人らが
水まで汚して牛の肉
見渡すかぎり広野原
茂れる中に田の面は
あゝ大歳の神様よ
立替へさせて世を清め
豊受の国となさしめよ
姫の御心汲みとりて
田人よ心改めよ
命の親の実は倉に
ふくるるばかり与へかし

四　酒に飲まれな　（日の出神）

霊主体従　午の巻（七）　第四四章「福辺面」

筑紫の都の町はずれで、日の出神がウラル教の宣伝使蚊取別に対して訓えた歌である。

常世の国に生れませる
醸し給ひし神酒なれば
御神酒を飲むはよけれども
飲みたい酒も飲まずして
心荒びて闇雲に
神に供へたその後に
神酒を飲まずに頂けよ

少彦名の神様の
少しは飲めよ程々に
酒に飲まれな百の人
気張つてをればいつかまた
酒を飲まねばならうまい
神酒を飲まずに頂けよ

五　酒の害（蚊々虎）

霊主体従　未の巻（八）　第二〇章「張子の虎」

ブラジル峠の西方で、蚊々虎が群衆に諭した一節である。

世の中に酒ほど悪い奴はない
離縁になるのも酒のため
人を殴るも酒のため
生命を捨てるも酒のため
ケンケンいふのも酒のため
腸腐らす悪酒に
さてもさても気の毒な

家を破るも酒のため
喧嘩をするのも酒のため
夫婦喧嘩も酒のため
小言の起るも酒のため
酒ほど悪い奴はない
酔うて管巻く悪者は
酒を飲むなら水を飲め

六　最後の光明

霊主体従　酉の巻（一〇）　総説歌

世界の終末にあたり、大本神が出現されて、新しい世界の指導原理である最後の光明、艮めの神教を発表された理由を述べられている。

世は常闇となり果てて　ふたたび天の岩屋戸を
開く由なき今の世は　心も天の手力男
神の御出まし松虫の　鳴く音も細き秋の空
世の憂事を菊月の　十まり八つの朝より
述べ始めたる霊界の　奇しき神代の物語
三つの御魂にちなみたる　三筋の糸に曳かれつつ

二度目の岩戸を開きゆく
色香めでたき神嘉言
高くかがやく城頭の
科戸の風に吹きなびき
ヒマラヤ山頂ひたせども
長鳴鳥も現はれず
ふくみし鳩の影もなし
妖邪の空気充ちみちて
高天原に現はれし
百の神人泣きさけぶ
救ひ助くる手力男の
天の宇受売の俳優の

一度に開く木の花の
常世の国の自在天
三つ葉葵の紋所
思想の洪水氾濫し
明の烏はまだ啼かず
橄欖山の嫩葉をば
天地くもりて混沌と
人の心は腐りはて
ノアの方舟たづね侘び
阿鼻叫喚の惨状を
神はいづれに坐すぞ
歌舞音曲は開けども

五つ伴緒はいつの日か
つらつら思ひめぐらせば
手を下すべき余地もなく
独り狂へる悲惨さよ
最後の光明艮めなり
神を楯としパンを説き
月照彦の霊の裔
そのまま真如実相か
竜樹菩薩の空々は
物理に根ざせる哲学者
相対性の原理説は
宗教学者の主張せる

現はれ給ふことぞかし
天の手力坐せど
宇受売舞曲を奏しつつ
三五教の御諭しは
ナザレの聖者キリストは
マルクス麺麹以て神を説く
印度の釈迦の方便は
般若心経を宗とする
これまた真理か実相か
アインシュタインの唱へたる
絶対真理の究明か
死神死仏をはうむりて

最後の光は墓を蹴り
胎蔵されし天地の
尽十方無碍光如来なり
起たしめたるは暁の
東の方の博士をば
否定の闇を打ちやぶる
舎身供養の炎まで
精神上の迷信に
物質的の迷信に
迷へる魂を神国に
秘かに秘かにただ一人
注がむための熱血か

よみがへらすは五六七神
根本改造の大光明
菩提樹のもと聖者をば
天明ひらめく太白星
馬槽にみちびく怪星も
大統一の太陽も
のこらず五六七の顕現ぞ
根ざす宗教はいふもさら
根ざせる科学を焼きつくし
復し助くる導火線と
二人の真のわが知己に
自暴自爆の懺悔火か

吾(われ)は知(し)らずに　惟神(かむながら)
心(こころ)も十(たり)の物語(ものがたり)
坂(さか)の麓(ふもと)にとどめおく
御霊幸(みたまさちは)へましませよ

○

三箇(さんこ)の桃(もも)と現(あら)はれし
獅子奮迅(ししふんじん)の大活動(だいくわつどう)
のこす尊(たふと)き言(こと)の葉(は)の
八洲(やしま)の国(くに)の　礎(いしずゑ)を
あまたの人(ひと)を大神(おほかみ)の
雄々(をを)しき魂(たま)となさしめよ
昔(むかし)も今(いま)もおなじこと

神(かみ)のまにまに述(の)べ伝(つた)ふ
はつはつここに口車(くちぐるま)
あゝ惟神(かむながら)　惟神(かむながら)

松(まつ)　竹(たけ)　梅(うめ)の姉妹(おとどい)が
智仁勇(ちじんゆう)をば万世(よろづよ)に
いや永久(とこしへ)に茂(しげ)りつつ
造(つく)り固(かた)めしそのごとく
誠(まこと)の道(みち)にいざなひて
黄泉比良坂大峠(よもつひらさかおほたうげ)
三(み)つの御魂(みたま)に神習(かむなら)ひ

三月三日(さんぐわつみつか)の桃(もも)の花(はな)
なりて御国(みくに)につくせかし
御仁慈(みなさけ)ふかき大神(おほかみ)の
うとび来(き)たらむ曲神(まがかみ)を
善言美辞(ぜんげんびじ)に打(う)ち払(はら)ひ
皇御国(すめらみくに)のおんために
神(かみ)を離(はな)れて神(かみ)につき
誠(まこと)ひとつの三五教(あななひけう)の
つくす真人(まびと)ぞ頼(たの)もしき
御霊(みたま)の幸(さち)を賜(たま)へかし

五月五日(ごぐわついつか)の桃(もも)の実(み)と
神(かみ)は汝(なんぢ)と倶(とも)にあり
御手(みて)に曳(ひ)かれて黄泉国(よもつくに)
まことの教(をしへ)の剣(つるぎ)もて
その身(み)そのまま神(かみ)となり
力(ちから)かぎりに尽(つく)せよや
道(みち)にはなれて道守(みちまも)る
月(つき)の心(こころ)を心(こころ)とし
あゝ　惟神(かむながら)　惟神(かむながら)

七　死生観（東彦）

霊主体従　戌の巻（一一）　第三章「死生観」

鉄谷村の酋長鉄彦館の門番、滑稽洒脱磊落不羈の時公（時置師神　杢助の前身）は主人のあとを追い、一望千里のクス野ケ原を一つ目お化けに驚かされつつ進み行き、ついに三五教の宣伝使東彦に邂逅した。東彦は種々死生観について説示したのち歌い出した。

天と地とはとこしへに　陰と陽との生きどほし
神の水火より生まれたる　人は神の子神の宮
生くるも死ぬるも同じこと　これをば物にたとふれば
神の世界は故郷の　恋しき親のいます家
この世に生まれた人生は　露のしとねの草まくら

旅に出でたる旅人の
辿りたどりて黄昏に
これに宿りしその時は
一夜の宿を立ち出でて
また人間と生まれ来て
生まれて一日はたらいて
死ぬといふのは人の世の
重荷おろして休む時、
栄えの花の開くとき
またもや神の命令に
ふたたび人生の旅をする
辛い中にもまた一つ

クス野を辿るがごとくなり
いづれの家か求めつつ
この世を去りし時ぞかし
またもや旅をなす時は
神の働きなす時ぞ
死んで一夜をまた休む
果にはあらず生魂の
神の御前に遊ぶとき
歓喜充てる時ぞかし
神世の宿を立出でて
旅は憂いもの辛いもの
都にいたる限りなき

歓喜(くわんき)の花(はな)は咲(さ)き匂(にほ)ふ
生(う)まれて死(し)んでまた生(う)まれ
死(し)んで生(う)まれてまた生(う)まれ
堅磐(かきは)常磐(ときは)に栄(さか)えゆく
五六七(みろく)の神(かみ)の太柱(ふとばしら)
高天原(たかあまはら)に千木(ちぎ)高(たか)く
神(かみ)の御子(みこ)たる人(ひと)の身(み)の
あゝ頼(たの)もしき人(ひと)の旅(たび)
人(ひと)は神(かみ)の子(こ)神(かみ)の宮(みや)
死(し)に替(かは)りして永久(とこしへ)に
五六七(みろく)の世(よ)まで栄(さか)え行(ゆ)く

神(かみ)の御子(みこ)たる人(ひと)の身(み)は
死(し)んで生(う)まれてまた生(う)まれ
どこどこまでも限(かぎ)りなく
常磐(ときは)の松(まつ)の美(うま)し世(よ)の
玉(たま)の礎(いしずゑ)つき固(かた)め
宮居(みやゐ)をつくる働(はたら)きは
勤(つと)めの中(なか)の勤(つと)めなり
あゝ頼(たの)もしき人(ひと)の身(み)の
神(かみ)と人(ひと)とは生(い)き替(かは)り
五六七(みろく)の世(よ)まで栄(さか)え行(ゆ)く

八　生言霊

霊主体従　亥の巻（一二）　第一五章「宣直し」

筑紫の国エジプト、白瀬川の大瀑布に大蛇を言向和さんと進んだ高光彦、玉光彦、国光彦、行平別四人が身外の敵を征服するには、まず身内の敵を退治する必要あり、とて高唱した歌である。

神が表に現はれて
善悪不二の神の道
悪を思へば悪となる
鬼も悪魔も曲霊も
この世曇るも舌のため
敵に悩むも舌のため

善と悪とを立別ける
善を思へば善となり
舌の剣の切先に
先を争ひ出で来たる
争ひ起るも舌のため
この世を照らすも舌のため

人を救ふも舌のため
地獄極楽舌のため
舌の毒より湧き出づる
鬼が出づるも心から
神も仏も心から
心に花の開くとき
心に凩すさぶとき
人を殺すも村肝の
人を救ふも舌の先
鬼となるのも舌の先
天の瓊矛とたたへたる
慈愛の鞘によく納め

天国浄土も舌のため
世のことごとは押しなべて
舌の奥には心あり
大蛇探女も心から
心の持ちやうただ一つ
天地四方に花開く
世界に凩吹きまくる
心の呼吸の舌の先
神となるのも舌の先
人は第一言霊の
舌の剣をつつしみて
みだりに抜くな放つなよ

善言美詞の神嘉言
善言美詞は天地の
生言霊の剣ぞや
霊幸倍坐世言霊の
使はせたまへ天津神
神代を開く言霊の
醜の霊は消え失せむ
心も広き大直日
直日に見直せ聞直せ

使ふは舌の役目ぞや
醜の悪魔を吹きはらふ
あゝ惟神　惟神
舌の剣をおだやかに
国津神たち百の神
清き御水火に曲津見の
この世を造りし神直日
ただ何事も人の世は
身の過ちは宣り直せ

九　言向和せ（深雪姫）

霊主体従　亥の巻（一二）　第一三章「短兵急」

ところは瀬戸の海の一つ島、天菩火命の軍勢は雲霞のごとく深雪姫の神館に向かって攻めきたり、島人を殺戮し、民家、山林を焼き払い、火はえんえんとして館近く燃えよせた。深雪姫は『善言美詞の言霊をもって曲を言向和し、柔よく剛を制するは神軍の兵法なり。武器をもって敵に当たるは暴をもって暴に報ゆるなり』と武器の使用を禁じ、高殿に上り悠々せまらず歌う。

神が表に現はれて　善と悪とを立別ける
この世を造りし神直日　心も広き大直日
ただ何事も人の世は　直日に見直せ聞直せ
世の曲言は宣り直せ　正義に刃向ふ剣なし
誠の力は世を救ふ　神を力に三五の

神の教を杖として
神の嘉言に言向けて
神は汝と倶にあり
誠で人を救ふべし
心の持ち方ひとつにて
悪もたちまち善となる
天が下にはおしなべて
味方も時に敵となり
ただ何事も人の世は
心をいらちて過失つな
朝日は照るとも曇るとも
たとへ大地は沈むとも

いかなる敵の来たるとも
敵を傷つくことなかれ
神は誠を立てとほす
いまは身魂のためし時
善もたちまち悪となり
善悪正邪の分水嶺
敵も味方もなきものぞ
敵も味方となり変る
神に任せよことごとく
神は汝とともに住む
月は盈つとも虧くるとも
この神島は焼けるとも

神はかならず吾々が
安きに救ひ給ふべし
よせ来る敵を言向けて
神の御稜威をかがやかせ

赤き心をみそなはし
誠ひとつの玉鉾に
神の力をあらはせよ

一〇　三途の川と一途川

如意宝珠　丑の巻（一四）　跋文

すべての人たちが霊肉脱離して、死後かならず通過する精霊世界である三途の川と、一途の川の状態が明示されている。

神の御諭をかうむりて
奇しき神代の物語

述べ始めたる霊界の
神代ばかりか幽界も

また現界も押し並べて
現 幽 神の三界の
三ツ尾峠や四ツ尾の
黄金閣の蔭きよき
三途の流れ滔々と
十四の巻のいや終に
三途の河は神界と
諸人たちの霊魂の
八洲の河原とヨルダンの
悪の霊魂が行く時は
たちまち変じ着衣はぎ
底つ幽世へ落とし捨て

神のまにまに口車
峠に立ちて三ツ瀬川
峰の麓にそそり立つ
教主館に横臥して
瑞の御魂の走り書き
その真相を示すべし
現界または幽界へ
行方の定まる裁断所
河とも唱ふ神聖場
その川守は鬼婆と
裸体となして根の国や
善の御魂の来る時は

川守たちまち美女となり
旧き衣服を脱却し
高天原の楽園へ
善悪未定の霊魂が
たちまち変り竹箒
朝と夕べの区別なく
千変万化の活動を
善悪正邪を立別ける
千代に流れて果もなし
清く流るることもあり
清濁不定の有様は
霊魂霊魂に映りゆく

優しき言葉を使ひつつ
錦の衣服と着替へさせ
行くべき印綬を渡すなり
来たれば川守また婆と
振り上げ娑婆へ追ひ返し
川の流れの変るごと
いや永遠に開き行く
これぞ霊魂の分水河
そもそもこれの川水は
濁り汚るることもあり
集まり来たる人々の
奇しき尊き珍しき

宇宙唯一の流れなり
現実界へ生まれ行く
弱き下津瀬渉り行く
暗黒無明の世界へと
緩けく強く清らけく
中津瀬渉り行くものは
天国浄土に登る魂
綱に曳かれて進み行く
三途の川の物語
そもそも一途の因縁は
至善至真の神仏の
神の神子たる天職を

激しき上つ瀬渉るのは
霊魂や蘇生する人ばかり
霊魂は根の国底の国
落ち行く悲しき霊のみぞ
かつ温かく美しき
至喜と至楽の花開く
それぞれ霊魂の因縁の
神の律法ぞ尊けれ
ほかに一途の川もあり
現世に一旦生まれ来て
教を守り道を行き
つくし果せし神魂

大聖美人の天国へ
清めし御魂もいま一度
善一途の生命川
一旦現世へ生まれ来て
山と積みたる邪霊の
渉りて根底の暗界へ
おぼれ苦しみ渡り行く
実にもゆゆしき流れなり
御霊幸へましまして
滑稽まじりに述べ立てし
読みゆく人の霊魂に
おこさせ給ひて人生の

進みて登る八洲の川
浄めて進み渉り行く
渡る人こそ稀しき
体主霊従の悪業を
裁断も受けず一筋に
堕ち行く亡者の濁水に
善と悪との一途川
あゝ惟神 惟神
三途の川や一途川
この物語意を留めて
反省改悟の信念を
行路を清く楽しく

歩ませ給へと天地の
大空かがやく瑞月が
あまねく照らす光明に
身魂の行方を明らかに
朝日は照るとも曇るとも
たとへ大地は沈むとも
万劫末代いつまでも
変りて朽ちて亡び行く
あゝ惟神　惟神

神の御前に澄みわたる
天照らし坐す大神の
照らされながら人々の
説き示しゆく嬉しさよ
月は盈つとも虧くるとも
誠の神の御諭しは
天地のつづくその限り
ためしは永遠にあらざらめ
御霊幸へましませよ

二　神霊界の状態

如意宝珠　寅の巻（一五）　跋文

神霊世界の状態と現実世界の状態の相似点と相異点を明示し、神霊世界に入るための準備について教えられている。

神霊界の状態は
世界と万事相似たり
岩石　渓谷　水に火に
外形上より見る時は
肉体人の住居せる
平野　山岳　丘陵や
草木の片葉に至るまで
何らの変りしところなし

されどもこれらの諸々は
起源を一切霊界に
採りたるゆゑに天人や
精霊のみの眼に入りて
肉体人の見るを得ず
形体的の存在は

自然的起源を保有する
顕幽区別は明らかに
それゆゑ現世の人々は
精霊界に入りしとき
詳しく見聞するものぞ
精霊界に入りし者は
事物を見ること不能なり
よりて人間の体を藉り
現界の一部を見聞し
為し遂げらるるものぞかし
形体界の光明を
精霊の眼は天界の

現界人のみこれを見る
神の立てたる法則なり
霊界事象を見るを得ず
神の許しを蒙りて
これに反して天人や
また現界や自然界
鎮魂帰神の妙法に
憑依せし時漸くに
人に対して物語り
如何となれば肉体人の目は
受くるに適し天人や
光明を受くるに適すべく

造(つく)り為(な)されしためぞかし
外面(ぐわいめん)全(まつた)く相似(あひに)たり
造(つく)られたるを自然界(しぜんかい)の
これまたやむを得(え)ざるべし
その肉眼(にくがん)に見(み)るところ
取(と)り入(い)れ得(え)らるるその外(ほか)は
現界人(げんかいじん)はこのごとき
ゆゑに全(まつた)くその思想(しさう)
霊的(れいてき)ならず霊界(れいかい)と
如上(によじやう)のごとき相似(さうじ)あれば
かつて生(う)まれし故郷(ふるさと)や
なほも住居(ぢうきよ)するものなりと

しかも両者(りやうしや)の眼目(まなこ)より
霊界(れいかい)の性相(せいさう)この如(ごと)く
人(ひと)の会得(ゑとく)し能(あた)はざるは
外感上(ぐわいかんじやう)の人々(ひとびと)は
手足(てあし)の触覚(しよくかく) 視覚等(しかくとう)に
容易(ようい)に信(しん)じ得(え)ざるなり
事物(じぶつ)に基(もと)づき思考(しかう)する
物質的(ぶつしつてき)に偏(かたよ)りて
現実界(げんじつかい)とのその間(うち)に
人(ひと)は死(し)したる後(のち)の身(み)も
離(はな)れ来(き)たりし世(よ)の中(なか)に
誰人(たれびと)とても思(おも)ふべし

このゆゑ人は死を呼びて
相似の国へ往くといふ

○

現実界を後にして
その状態を死と称す
身魂に属せし 悉 を
物質的の形骸は
死後の生涯に入れるとき
同じ形の身体を
打ち見るところ塵身と
されどその実 身体は
物質的の事物より

これより彼世の霊界の
精霊界に移る時
死し行くものは一切の
霊界さして持ちて行く
腐朽し去れば残すなり
現実界にありし如
保ちて何らの相違なく
霊身に何らの区別なし
すでに霊的活動し
分離し純化し清らけく

霊的事物(れいてきじぶつ)の相接(あひせつ)し
相触(あひふ)れ相見(あひみ)る如(ごと)くなり
すべての人(ひと)は現界(げんかい)に
あるもののごと思(おも)ひ詰(つ)め
その消息(せうそく)を忘(わす)るなり
人(ひと)は依然(いぜん)と現界(げんかい)に
外的感覚保有(ぐわいてきかんかくほいう)して
嗅(か)ぐこと味(あぢ)はひ触(ふ)るること
精霊界(せいれいかい)に身(み)をおくも
思索(しさく)し省(かへり)み感動(かんどう)し
好(この)みしものは読書(どくしよ)もし
換言(くわんげん)すれば死(し)といふは

相見(あひみ)る状態(さま)は現界(げんかい)の
精霊界(せいれいかい)に入(い)りし後(ご)も
保(たも)ちし時(とき)の肉体(にくたい)に
吾(わ)が身(み)のかつて死去(しきよ)したる
精霊界(せいれいかい)に入(い)りし後(ご)も
ありて感受(かんじゆ)せる肉的(にくてき)や
見(み)ること聞(き)くこと言(い)ふことも
残(のこ)らず現世(げんせ)の如(ごと)くなり
名位寿富(めいゐじゆふう)の願(ねが)ひあり
愛(あい)し意識(いしき)し学術(がくじゆつ)を
著述(ちよじゆつ)を励(はげ)む身魂(みたま)あり
此(これ)より彼(かれ)に移(うつ)るのみ

その身に保てる一切の　事物を到る先々へ
持ち行き活躍すればなり　ゆゑに死するといふことは
物質的の形体の　死滅をいふに過ぎずして
自己本来の生命を　決して失ふものならず
再び神の意志により　現世に生まれ来る時は
以前の記憶の一切は　忘却さるるものなれど
こは刑罰の一種にて　如何ともする術はなし
一度霊界へ復活し　またもや娑婆に生まるるは
神霊界より見る時は　すべて不幸の身魂なり
人は現世に在る間に　五倫五常の道を踏み
神を敬ひ世を救ひ　神の御子たる天職を
尽しおかねば死して後　中有界に踏み迷ひ

あるいは根底の地獄道
受くるものぞと覚悟して
善を行ひ美を尽し
力かぎりに努めつつ
楽しく上り進み行く
顕幽一致　生死不二
重生軽死また悪し
研き清めて神界と
大経綸の神業に
神のまにまに述べておく

種々雑多の苦しみを
真の神を信仰し
人の人たる本分を
永遠無窮の天国へ
用意を怠ることなかれ
軽生重視も道ならず
刹那　刹那に身魂を
現実界の万物の
尽せよ尽せよ惟神

二　綾の聖地行

如意宝珠　卯の巻（一六）　第六章「石槍の雨」

神素盞嗚大神は由良の港の秋山彦の館を立ち出で、一行と共に世継王丸に身をまかせ、綾部の地の高天原をさして、おりから吹き来る北風に真帆をはらませ悠々と河瀬をさかのぼり給うた。

大空碧く澄み渡り
静かに流るる和知の川
川の流れは緩やかに
流すが如くゆらゆらと
神代もめぐり北の風
深き恵みを河守駅や
関所を越えて漸うに

山河清くさやかにて
枝も鳴らさぬ音無瀬の
幾千丈の青絹を
水瀬も深き由良の川
真帆を膨らせ登りくる
河の中央に立ち岩の
足もと早き長谷の川

水の落合右左
上る河路も長砂や
ここは聖地と白瀬橋
臥竜の松の川水に
月は梢に澄みわたる
丹波の富士と聞えたる
聳えて立てる雄々しさよ
味方平に船留めて
青垣山を繞らせる
ここは名におふ小亜細亜
昔の聖地エルサレム
景色に勝る聖地なり

左手に向ひ舵をとり
幾多の村の瀬を越えて
下を潜りて上りくる
枝を浸して魚をどり
向方に見ゆるは稲山か
弥仙の山は雲表に
敵もなければ味方郷
四方の国形眺むれば
下津岩根の竜宮館
地上の高天と聞えたる
橄欖山や由良の

一三　信仰の妙諦（隆靖彦、隆光彦）

如意宝珠　午の巻（一九）　第九章「身魂の浄化」
三嶽山の岩窟に立てこもり、悪逆無道のかぎりを尽くしたる荒鷹、鬼鷹の両名も、三五の神の光に照らされ、悔い改めて霊魂が向上すると共に相貌までが眉目清秀なる女神の姿と化してしまい、馬公、鹿公の両名は何と言っても元の荒鷹、鬼鷹であることを承認せないので、歌をもってこれに説明をした一節である。

人は心が第一よ
鬼も変じて神となり
神もたちまち鬼となる
いかに霊魂を研くとも
徹底的に　魂　は
自力信仰もよけれども

霊魂研けばたちまちに
心一つの持ち方で
さは然りながら人の身の
神の力によらざれば
清まるものにあらざらむ
ただ何事も人の世は

他力の神に身を任せ
救ひを得るより途はない
誠の道を究めむと
今漸くに悟りけり
ただ何事も惟神
誠の信仰積むがよい

心を任せ皇神の
人の賢しき利巧もて
思うたことの誤りを
人間心を振り棄てて
神の他力に打ち任せ

一四　伊都能売の経綸（素盞嗚尊）

海洋万里　丑の巻（二六）　第六章「大神宣」

玉依姫の守り給いし麻邇宝珠の五つの玉が聖域内の由良の港の秋山館に安着したことを祝して、素盞嗚尊は儼然として荘重な口調で、大神宣を伝え給うた。

豊葦原の国中に
八岐大蛇や醜狐

曲鬼(まがおに)どものはびこりて
醜(しこ)の魔風(まかぜ)に汚(けが)しつつ
苦(くる)しめ悩(なや)ますこの惨状(さま)を
神素盞鳴(かむすさのを)と現(あら)はれて
八人乙女(やたりをとめ)や貴(うづ)の子(こ)を
神(かみ)の教(をしへ)を宣(の)べ伝(つた)へ
虫族(むしけら)までも言霊(ことたま)の
ウブスナ山(やま)の斎苑館(いそやかた)
彷徨(さまよ)ふ折(をり)しも自転倒(おのころ)の
綾(あや)の高天(たかま)の聖域(せいゐき)に
国治立大神(くにはるたちのおほかみ)の
隠(かく)れいますぞ尊(たふと)けれ

山(やま)の尾(を)の上(へ)や川(かは)の瀬(せ)を
天(あめ)の下(した)なる民草(たみぐさ)を
見(み)るに見(み)かねて瑞御魂(みづみたま)
八十(やそ)の猛(たける)の神司(かむづかさ)
四方(よも)に遣(つか)はし三五(あななひ)の
山川草木鳥獣(やまかはくさきとりけもの)
清(きよ)き御水火(みいき)に助(たす)けむと
後(あと)に残(のこ)して八洲国(やしまぐに)
大和島根(やまとしまね)の中心地(ちうしんち)
この世(よ)の根元(もと)と現(あ)れませる
国武彦(くにたけひこ)と世(よ)を忍(しの)び
この世(よ)を救(すく)ふ厳御霊(いづみたま)

瑞の御霊と相ならび
教を開き天が下
安息と生命を永久に
心配らせ給ひつつ
高天原に永久に
現はれ給ふ麻邇の玉
三五の月の影清く
神の命と現れませる
いよいよ清く玉照彦の
貴の命の御前に
瑞の御霊と現れませる
言霊幸ふ言依別の

天地の神に三五の
四方の木草にいたるまで
賜はむために朝夕を
三つの御玉の神宝
鎮まりましてまたもはや
五づの御玉と照り映えて
埴安彦や埴安姫の
神の御霊も今ここに
貴の命や玉照姫の
納まる世とはなりにけり
三五教の神司
神の命は皇神の

錦の機の経綸を
松の神世の来たるまで
深遠微妙の神策を
神素盞嗚の我が身魂
八岐大蛇を言向けて
天照らします大神の
仕へまつらむそれまでは
木の葉の下をかいくぐり
完全に委曲に松の世の
国武彦大神よ
深山の奥の 時鳥
憂目を忍びやがて来む

心の底に秘めおきて
浮きつ沈みつ世を忍び
堅磐常磐にたてませよ
八洲の国に 蟠る
高天原を治しめす
御許に到り復命
蠑螈蚯蚓と身を潜め
花咲く春を待ちつつも
尊き仕組を成し遂げむ
汝が命も今しばし
姿隠して長年の
松の神世の神政を

心静かに待たせまし
五つの麻邇のこの玉は
鎮まりまして桶伏の
天火水地と結びたる
木の花姫の生御魂
世人あまねく救はむと
流れ流れて由良の海
尽す誠の一つ洲
言依別が犠牲の
五六七の神世の　礎　と
実に尊さの限りなり
御霊幸へましまして

竜宮城より現はれし
綾の聖地に永久に
山に匂へる蓮華台
薫りも高き梅の花
三十三相に身を現じ
流す涙は和知の川
救ひの船に帆をあげて
秋山彦の真心や
清き心を永久に
神の定めし厳御魂
あゝ惟神　惟神
国治立大神の

厳（いつ）の御霊（みたま）はいま暫（しば）し
国武彦（くにたけひこ）と現（あら）はれて
錦（にしき）の宮（みや）にあれませる
表（おもて）に立（た）てて言依別（ことよりわけ）の
深遠微妙（しんゑんびめう）の神界（しんかい）の
朝日（あさひ）は照（て）るとも曇（くも）るとも
たとへ大地（だいち）は沈（しづ）むとも
千代（ちよ）も八千代（やちよ）も永久（とこしへ）に
初発（なりで）し時（とき）ゆ定（さだ）まりし
万古不易（ばんこふえき）の真理（しんり）なり
心（こころ）も広（ひろ）き大直日（おほなほひ）
大直日（おほなほひ）にと見直（みなほ）して

四尾（よつを）の山（やま）の奥深（おくふか）く
草（くさ）の片葉（かきは）に身（み）を隠（かく）し
玉照彦（たまてるひこ）や姫神（ひめがみ）を
神（かみ）の命（みこと）を司（つかさ）とし
仕組（しぐみ）の業（わざ）に仕（つか）へませ
月（つき）は盈（み）つとも虧（か）くるとも
厳（いづ）と瑞（みづ）とのこの仕組（しぐみ）
変（かは）らざらまし天地（あめつち）の
万古不易（ばんこふえき）の真理（しんり）なり
この世（よ）を造（つく）りし神直日（かむなほひ）
ただ何事（なにごと）も神直日（かむなほひ）
天地百（あめつちもも）の神人（かみびと）を

救はむための我が聖苦
神の尊の御心
深くも感謝し奉る

思ひは同じ国治立の
深くも察し奉る

一五　厳瑞の経綸（国武彦命）

海洋万里　丑の巻（二六）　第六章「大神宣」
玉依姫の守り給うた麻邇宝珠が、めでたく丹後の由良の秋山館に安着した。素盞嗚尊の祝歌に感謝しつつ、国常立尊の分霊にます国武彦命は神慮の一端を歌い給うた。

天の下なる国土を
造り固めて清めたる
国治立の厳御霊
高天原に現はれて

汗と涙の滝水に
豊葦原の国の祖
御稜威も高き貴の宮
百の神たち人草の

守らむ道を宣り伝へ
布き拡めたる元津祖
拗け曲れる身魂より
八岐大蛇や醜狐
怪しの雲に包まれて
汚れ果てたる泥水の
醜の曲霊に憑かれたる
千五百万の神々の
木の花姫の守ります
身を躍らして荒金の
根底の国を隈もなく
心を尽し身を尽し

神の祭を詳細に
天足の彦や胞場姫の
生まれ出でたる曲身魂
醜女探女や曲鬼の
さも美しき国土も
溢れ漂ふ世となりぬ
常世の彦や常世姫
罪や穢れを身に負ひて
天教山の火口より
地の底まで身を忍び
さまよひ巡り村肝の
造り固めて天教の

山の火口に再現し
あまねく国内を駆け巡り
野立の姫と現はれて
身を忍びつつ四方の国
世界隈なく検めて
その 礎 を固めむと
綾の高天と聞えたる
この世を洗ふ瑞御霊
五つの御霊の経綸を
日の大神の神言もて
下津磐根に降り来て
神素盞嗚大神の

野立の彦と名を変へて
豊国姫の神御霊
ヒマラヤ山を本拠とし
夫婦の水火を合せつつ
再び来たる松の世の
自転倒島の中心地
桶伏山の片ほとり
四尾の山に身を忍び
仕へまつらむその為に
天の石座相放れ
国武彦となりすまし
御供の神と現はれぬ

この世を思ふ真心の
現幽神を照り透す
黄金の玉や紫の
自転倒島に集まりて
その礎はいや固く
またもや嬉しき五つ御玉
一つ洲なる秘密郷
底ひも深く秘めおきし
青赤白黄紫の
梅子の姫や黄竜姫
テールス姫の御使に
黄金翼の八咫烏

清き思ひは仇ならず
金剛不壊の如意宝珠
貴の宝は逸早く
三千世界を統べ守る
国常立となりにけり
波に漂ふ竜宮の
金波漂ふ諏訪の湖
五つの御霊と称へたる
光まばゆき麻邇の玉
蜈蚣の姫や友彦や
持たせ給ひてはるばると
天津御空を輝かし

雲路を別けて自転倒の
綾の聖地に程近き
その川口に聳り立つ
心の色は綾錦
夫婦の水火も相生の
十曜の紋の十人連れ
その御姿の尊さよ
国武彦も永久に
玉依姫のおくりたる
あゝ惟神　惟神
時ほど尊きものはなし
元の誠の祖神も

松生ひ茂る神の島
恵みも深き由良の海
秋山彦の神館
空照りわたる紅葉姫
松葉茂れる庭先に
しづしづ帰り降り来る
いよいよここに五つ御玉
隠れてこの世を守りゆく
麻邇の宝珠は手に入りぬ
時は待たねばならぬもの
この世を造り固めたる
時を得ざれば世に落ちて

苦しみ深き丹波路の
雨の晨や雪の宵
心を苦しめ身を痛め
尽さむ由も泣くばかり
八千八声の血を吐きて
今日はいかなる吉日ぞや
九月八日の秋の庭
人の心も涼やかに
瑞と厳との睦び合ひ
三五の月の御教の
この世の開けし初めより
あゝ惟神　惟神

草葉の陰に身を凌ぎ
尾の上を渡る風にさへ
天地のためにわが力
胸もはり裂く時鳥
時の来たるを待つうちに
神世の姿甲子の
御空は高く風は澄み
日本晴れのわが思ひ
八洲の国を照らすてふ
元を固むる瑞祥は
まだ新玉のあが心
天津御空の若宮に

鎮(しづ)まりいます日(ひ)の神(かみ)の
国治立(くにはるたち)の御分霊(わけみたま)
はるかに感謝(かんしゃ)し奉(たてまつ)る
この世(よ)を救(すく)ふ生神(いきがみ)の
神素盞鳴大神(かむすさのをのおほかみ)の
喜(よろこ)び敬(うやま)ひ奉(たてまつ)り
この行先(ゆくさき)の神業(かむわざ)に
あれの身魂(みたま)ともろともに
濁(にご)り果(は)てたる現世(うつしよ)を
仕(つか)へまつらせ天地(あめつち)の
救(すく)ひのために真心(まごころ)を
深(ふか)き思(おも)ひは竜(たつ)の海(うみ)

御前(みまへ)に慎(つつし)み畏(かしこ)みて
国武彦(くにたけひこ)の隠(かく)れ神(がみ)
千座(ちくら)の置戸(おきど)を身(み)に負(お)ひて
瑞(みづ)の御霊(みたま)と現(あ)れませる
仁慈無限(じんじむげん)の御心(みこころ)を
言依別(ことよりわけ)の神司(かむづかさ)
またもや千座(ちくら)の置戸(おきど)負(お)ひ
三柱揃(みはしらそろ)ふ三(み)つ身魂(みたま)
洗(あら)ひ清(きよ)むる神業(かむわざ)に
百(もも)の神(かみ)たち人草(ひとぐさ)の
千々(ちぢ)に砕(くだ)きて筑紫潟(つくしがた)
忍(しの)び忍(しの)びに神業(かむわざ)を

仕へまつりて松の世の　五六七の神の神政を
心を清め身を浄め　指折り数へ待ち暮す
あが三柱の神心　完全に委曲に聞し召し
天津御空の若宮に　堅磐常盤に現れませる
日の大神の御前に　重ねて敬ひ願ぎまつる
あゝ惟神　惟神　御霊幸へましませよ

一六　月光世に出づ

海洋万里　卯の巻（二八）　序歌

神定の聖地において、瑞霊の大神の神徳による精神界の王国が建設せられ、大本の神教は一度外国に伝わり、その反響により、日本人が神の教えに心服心従する由を述べられてある。

月光いよいよ世に出でて　精神界の王国は

東の国に開かれぬ
輝きわたり永遠に
下津岩根に溢れつつ
荘厳無比の光明は
現はれませり人々よ
四方の国より聞え来る
霊の清水に渇く人

真理の太陽晃々と
尽きぬ生命の真清水は
慈愛の雨は降りそそぐ
世人の身魂を照らすべく
一日も早く目を覚ませ
誠の神の声を聞け
瑞の御魂に潤へよ

一七　合せ鏡（末子姫）

海洋万里　巳の巻（三〇）　第一一章「言霊の妙」

神素盞鳴大神の八人乙女の末子姫が高砂洲（南米）のウヅの国（アルゼンチン）の巽の池にひそむ八岐の大蛇に向かって、地球上は神霊界である高天原の活き映しで、実にありがたい天国浄土であることを言霊の妙を発揮して述べられた。大蛇はたちまち解脱して、大神の神使と向上した、その言霊歌の一節である。

誠の神の造らしし　この天地の不思議さよ
天津御空は青雲の　底ひも知らぬ天の川
森羅万象睥睨し　清く流れて果てしなく
星の光はキラキラと　永遠に輝く美しさ
天津日の神東天に　昇りましてはまた西に
清き姿を隠しまし　夜はまた月の大御神
清き光を投げ給ひ　下界の万有一切に
恵みの露を垂れ給ふ　月日は清く天渡り
浜の真砂の数のごと　光眩き百星の
あるいは白くまた赤く　淡き濃き色取り交ぜて

際涯も知らぬ大空を
眼を転じて葦原の
山野は青く茂り合ひ
青 赤 白 黄 紫 と
河の流れはいと清く
所 狭きまで稔りつつ
枝もたわわに香りけり
この土の上に相写し
鳥 獣 や虫族の
神の御火水をかけ給ひ
天と地とは睦び合ひ
男子女子は相睦び

飾らせ給ふ尊さよ
瑞穂の国を眺むれば
野辺の千草はまちまちに
咲き乱れたる楽しさよ
稲 麦 豆 粟 黍の類
味よき木の実は野に山に
天津御空の神国を
四方の神人木や草や
小さきものに至るまで
尊き霊を配らせて
影と日向は抱き合ひ
上と下とは隔てなく

互ひに心を打ち明けて　暮すこの世は神の国
高天原の活き映し　天地の合せ鏡ぞや

一八　大地震

海洋万里　午の巻（三一）　第三章「救世神」

三十五万年前において、南米高砂洲のヒル（秘露）の国に起こりし大地震を、国依別は球の玉の神力を発揮して鎮定したことを述べて、天災地変は人心にもとづくことを説き、人類の改悟をうながされた宣伝歌である。

なおこの章は、出口聖師が大正十二年九月一日熊本県山鹿市の旅宿で、集まった人たちに出口伊佐男氏に拝読させられた折も折、東京大地震が起こったという奇跡の文章である。

天気晴朗にして　蒼空一点の雲翳もなく
士農工商は各々その業を楽しみ　常世の春を祝ひつつ

あるいは娶りあるいは舞ひ歌ひ　山河は清くさやけく
樹木は天然の舞踏をなし　渓流は自然の音楽を奏し
鳥は梢に唄ひ蝶は野に舞ひ花に戯れ　嬉々として遊べる
平安無事の天地の現象　さながら神代のごとくなり
瞬く間に一天にはかに掻き曇り　満天墨を流せしごとく
洋々として紺碧の　空を翔る諸鳥は
たちまち地上に向つて　矢を射るごとく落ち来たり
大地たちまち震動し　天国浄土はたちまちに
地獄　餓鬼道　畜生道　修羅の巷と一変し
時々刻々に大地の震動　猛烈を加へ来たるのみ
山岳は崩れ原野は裂け　民家は倒れ橋梁たちまち墜落し
彼方こなたに炎々と　天をこがして燃えあがる

空前絶後の大火災
神の恵みの天国も
佞け曲れる　魂や
妖邪の空気鬱積し
大御心を曇らせて
慎むべきは世の人の
心の持ちやう一つなり
これの惨状見るにつけ
神の尊き御心を
いよいよここに天地の
心を直し行ひを
尊き昔の物語

身の毛もよだつ凄まじさ
天の下なる神人が
醜の言霊重なりて
天地主宰の大神の
たちまち起こる天変地妖
耳に鼻　口　村肝の
あゝ惟神　惟神
高砂洲の国人は
完全に委曲に体得し
神の権威に畏服して
改め神に仕へたる
神のまにまに述べ立つる

あゝ惟神　惟神
遠き神代に住まひたる
いふもさらなり天の下
きらめく星の数のごと
昔のことと思ふまじ
転迷開悟の栞にと
神の御子と生まれたる
そもそも神は万物に
人は天地の御火水より
尊き神の肉の宮
発揮したまひて天地を
生まれ来たりし人の身の

神の御霊の幸ひて
高砂洲の人々は
四方の御国に大空の
生まれ会ひたる人々は
心を清め身を清め
心に刻みて惟神
吾が天職を尽せかし
普遍したまふ神霊ぞ
生まれ出でたる神の御子
皇大神の神力を
開かせたまふ司宰者と
その天職を自覚して

誠の神に服せよや
月は盈つとも虧くるとも
山裂け海は涸くとも
神の御前に真心を
務めをつくせ惟神
この世を造りし神直日
汚れはてたる人の身も
宣り直します天津神
国魂神を始めとし
産土神を敬ひて
暴風　洪水　大火なく
四海同胞の御神慮を

旭は照るとも曇るとも
たとへ大地は震ふとも
この世を造り給ひたる
尽しまつりて人たるの
神は汝と共にあり
心も広き大直日
罪を見直し聞直し
国津神たち八百万
吾らを親しく守ります
この美しき天地に
飢饉　戦争　病気なく
朝な夕なに省みて

神の依さしの天職に　尽させたまへと祈れかし
あゝ惟神　惟神　御霊幸へましませよ

一九　瑞の言霊（神素盞嗚大神）

海洋万里　未の巻（三二）　第二〇章「瑞の言霊」

神素盞嗚大神はアルゼンチンの都に天降り給い、折からアマゾン河の流域にひそむ曲神や猛獣毒蛇を言向和して凱旋したる祝筵にのぞみ、言依別命はじめ宣伝使に向かって喜びの歌を歌い給うた。

久方の天津御空のいや高く　雲押し分けて降ります
神伊弉諾の大御神　神伊弉冊の大御神
筑紫の日向の橘の　小戸の青木が原と聞えたる
天教山の中腹に　撞の御柱いや太く

御立て給ひしあが御祖
天地百の神人の
烈火の中に身を投じ
豊国姫の大神は
またもや根の国底の国
ここに二柱の大神は
野立の彦や野立姫
天地百の神人を
心悩ませ給ひつつ
峰に現はれましまして
再び五六七の神の世を
一切残らず救はむと

国治立の大神は
百の罪科負ひ給ひ
根底の国に至りまし
阿波の鳴門に身を投じ
完全に委曲に取り調べ
再び地上に現はれて
神の命と世を忍び
安きに救ひ助けむと
黄金山やヒマラヤの
三五教を樹て給ひ
開き給ひて万有を
経と緯との機を織り

深遠微妙の神業を
豊国姫の分霊
神伊弉諾の大神の
大海原に漂へる
完全に委曲に治らすをり
勢ひ猛き醜狐
現はれ来たりて八洲国
山河草木は枯れほして
神伊弉諾の大神は
日の稚宮を出で立ちて
我に向かつて宣はく
月の神国に到れよと

開かせ給ふぞ尊けれ
神素盞嗚のあが魂は
教の御子と生まれ来て
島の八十島八十の国
八岐大蛇の醜身魂
曲鬼などの此処かしこ
世は刈菰と紊れ果て
常世の闇となりにける
この惨状をみそなはし
天教山に降りまし
汝の治らす国ならず
涙片手に宣り給ふ

千万無量の御心を
高天原に参上り
到りて心の清きこと
御側に参りさむらへば
八洲の河原を中に置き
われは畏み忽ちに
五つの玉を請ひ受けて
姉大神はわが佩ける
天の真名井にふり滌ぎ
御前に畏みさむらひて
祈り給へば姉神は
清明無垢のあが霊は

拝しまつりて久方の
姉大神の御前に
詳さに現はし奉らむと
姉大神は怪しみて
誓約をせよと宣り給ふ
姉のまかせる美須麻琉の
天の真名井にふり滌ぎ
十握の剣を手に取らせ
高皇産霊の大神の
善悪邪正の魂分けを
厳の御霊とあれましぬ
瑞の御霊と現はれぬ

厳と瑞との霊しらべ
鏡の如くなりにけり
神の命は怒らして
瑞の御霊の救世主
答へあれよと詰めよつて
その他百の荒び事
姉大神は畏みて
豊葦原の瑞穂国
黒白も分かぬ悲しさに
八洲の河原に集まりて
鈿女の神の演技に
神素盞嗚の我が魂は

善悪邪正は明らかに
さは然りながら八十猛
あが大神は誠なり
いづくに曲のあるべきか
畔放ち溝埋め頻蒔し
伊猛り狂ふ恐ろしさ
天の岩戸に隠れまし
再び常世の闇となり
百の神たち相議り
五伴の緒の神司
めでたく岩戸は開きける
天地百の神人の

千座の罪を負ひながら
豊葦原(とよあしはら)の瑞穂(みづほ)国(くに)
この世(よ)を忍(しの)ぶ身(み)となりぬ
皇大神(すめおほかみ)の御心(おんこころ)
八岐(やまた)の大蛇(をろち)を言向(ことむ)けて
大蛇(をろち)の剣(つるぎ)を奪(うば)ひ取(と)り
豊葦原(とよあしはら)の神国(かみくに)は
心(こころ)を煩(わづら)ふことなかれ
御空(みそら)に高(たか)く去(さ)りましぬ
百八十(ももやそ)国(くに)を駆(か)けめぐり
大山脈(だいさんみやく)の最高地(さいかうち)
新木(あらき)の宮(みや)を建(た)て並(なら)べ

高天原を退はれて
当所(あてど)も知(し)らぬ長(なが)の旅(たび)
さは然(さ)りながら伊弉諾(いざなぎ)の
ひそかに我(われ)に伝(つた)へまし
天地(てんち)を塞(ふさ)ぐ村雲(むらくも)の
姉大神(あねおほかみ)に献(たてまつ)れ
やがて汝(いまし)の治(し)らす国(くに)
かく宣(の)り終(を)へて久方(ひさかた)の
瑞(みづ)の御霊(みたま)と現(あら)はれて
フサの国(くに)なるウブスナの
我(あ)が隠(かく)れ家(や)と定(さだ)めつつ
日(ひ)の出(で)の別(わけ)に守(まも)らせて

八人乙女を中津国
郷に遣はしバラモンの
誠の道に言向けて
世界の神人睦び合ひ
千代に八千代に立てむとて
八人乙女の末の子と
仕組の糸に操られ
アルゼンチンのウヅ館
敬はれつつ神の道
斎苑の館を立ち出でて
漸う此処に来て見れば
国依別や高姫や

メソポタミヤの顕恩の
教の司を三五の
心を平らかに安らかに
松の神世の瑞祥を
心を配る我が身魂
生まれ出でたる末子姫
高砂洲に渡り来て
現幽二界の救主ぞと
開きいますと聞きしより
鳥の磐樟船に乗り
言依別の神司
鷹依姫や竜国別の

神の司の相並び
八岐大蛇の残党や
あが三五の大道に
その勇ましき有様を
汝ら正しき神の子に
この場に現はれ来たりしぞ
神の大道をよく守り
清く仕へて天地の
神は汝と倶にあり
小さき欲に踏み迷ひ
心の空は冴えわたり
いや永久にかがやきて

アマゾン河に潜みたる
猛き獣を悉く
言向和し帰り来る
見るより心も勇み立ち
神祝ぎ言葉を述べむとて
あゝ惟神 惟神
五六七の神世の神政に
神の柱となれよかし
人は神の子神の宮
宝の宮を汚すなよ
真如の日月晃々と
下界の闇を照臨し

神の御子たる天職を
あゝ惟神 惟神
神に誓ひて宣り諭す
月は盈つとも虧くるとも
神より受けし真心を
これ素盞嗚が汝らに
誠の道の言霊ぞ
あゝ惟神 惟神

堅磐常磐に立てよかし
神に誓ひて宣り伝ふ
朝日は照るとも曇るとも
いかなる悩みに遇ふとても
汚し損なふことなかれ
真心こめて宣り伝ふ
世界を救ふ神言ぞ
御霊幸へましませよ

二〇 人類相愛（孫公）

海洋万里 酉の巻（三四） 第一八章「三人塚」

筑紫島に上陸した黒姫のお供の一人孫公は、一行に別れてただ一人、向日峠を下りつつ歌う。

神が表に現はれて
醜女探女や鬼大蛇
勢ひ猛く攻めくとも
誠の道の神司
言向和す神業に
この世を造りし神直日
ただ何事も人の世は
宣り直し行くその時は
残らず吾の味方のみ
旭に露と消えてゆく
一度に開く神の道
国治立大神や

善と悪とを立別ける
虎狼の吠え猛り
などか恐れむ敷島の
弱きを助け強きをば
仕ふる身こそ楽しけれ
心も広き大直日
直日に見直し聞直し
天が下なるもろもろは
仇も曲津も忽ちに
三千世界の梅の花
この世を救ふ生神は
神素盞嗚大御神

筑紫の洲を守ります
神の御稜威の現はれて
朝日は照るとも曇るとも
曲津はいかに猛るとも
あゝ惟神　惟神
この世の中の人々は
愛し愛され末長く
常世の春を楽しみて
雨に浴させ給へかし
御霊幸へましませよ

国魂神の純世姫
常世の泥もすみ渡る
月は盈つとも虧くるとも
誠の力は世を救ふ
御霊幸ひましまして
たがひに誠を尽しあひ
神の造りし神の世に
栄えと光と喜びの
あゝ惟神　惟神

二　執着魔

海洋万里　戌の巻（三五）　総説歌

人類は本来、神に代わって天地の大経綸に奉仕する尊き使命があるのに、現実の生活にのみ心を砕くうち、悪の道に堕落するものであるから、神の子、神の宮の本来の姿に返れとの宣伝神歌。

天地の神の御火水より
現はれ出でし人草は
至粋至醇の神の御子
いかでか曲のあるべきぞ
名位寿富の正欲に
心を砕くところより
執着心てふ魔が憑り
いろいろ雑多と焦慮りつつ
体主霊従に落つれども
一朝神の光得て
省みすれば元の神
神に代はりて天地の
大経綸に奉仕する
厳の力の太柱

万の物の霊長ぞ　あゝ惟神　惟神
御霊幸へましませよ

二二　聖者の涙

舎身活躍　寅の巻（三九）　序歌

末法濁世の現代にたいして、神定の更生主にます出口王仁三郎聖師が、大本神の出現によって、地上に至仁至愛の神国が樹立される経緯を、熱涙をもって絶叫された神歌である。

八岐大蛇や醜狐　曲鬼探女の蔓延れる
暗黒無道の世の中は　仁義道徳影もなく
常世の闇の如くなり　人の心は日に荒び
世道は月に頽廃し　親子疎んじ睨み合ひ

兄弟互ひに相鬩ぎ
朋友信を忘却し
上下は常に反目し
紛擾絶ゆるひまもなく
農商工は振起せず
官民互ひに卑しみて
主僕疎遠に堕りて
危機に瀕しつ諸々の
暴戻盛んに行はる
山に隠ろひ野に潜み
奸邪は天下に跳梁し
乱れ切つたる娑婆世界

親戚争ひ相離れ
互ひに悪罵嘲笑し
意志の疎隔は恐ろしく
資本家労働者相対し
不景気風は吹きまくり
政令全く行へず
国家社会は刻々に
譎詐の曲業時を得て
忠誠の人士は足曳きの
頭をもたぐる時を得ず
誠の神は世に出でず
挽回すべき由もなし

医学衛生完備して
交通機関は完備して
国家の富力増進し
頭に刻々迫り来る
殺傷しきりに行はれ
物価は時々に凋落し
全くその度を失ひぬ
兌換借　款滔々と
国防なるに従ひて
高貴は俗に親しみて
富豪階級は押し並べて
淫酒の欲を漁りつつ

悪疫ますます蔓延し
有無通ずるの途もなし
しかして飢餓は人々の
法警なるに従ひて
生産ますます夥多にして
輸入超過の惨状は
国庫漸く窮乏し
経済界を危ふくし
国辱しきりに興るあり
卑賤はますます僭上す
みな文弱に流落し
日に夜に社会を汚しゆく

貧弱いよいよ窮乏し
都会に住める人々は
奢侈限りなく増長す
淳朴の気は地を払ふ
怪論迷説相ひさぎ
僧侶は教義を曲解し
品行月に堕落しつ
武人は銭を愛着し
商買は謀計事となし
青壮年は悪風に
競うてハイカラのみ好む
通ひながらも蝶の如

怨嗟の声はいや高し
安逸快楽に馴れ染まり
田舎は都会の風に染み
学者の偏狭陋劣さ
宗教宣布に従事する
宗祖の教旨を滅ぼして
精神界を攪乱し
士道全く廃りゆく
信用全く地に落ちぬ
眼を眩惑し世に習ひ
良家の子女は学校に
紅白粉を塗り立てて

淫靡の風は吹き荒び
社会の秩序を混乱し
賢母良妻家に泣き
芸妓屋娼妓屋繁昌し
国家の元老はただすらに
争ひ子分を相募り
党弊擁護に余念なく
禽獣叫び蛇を投げ
演出するこそ慷慨けれ
国議を軽視し侮辱して
国帑をみだりに浪費して
賦課はますます大となり

不良少年続出し
拾収すべからず成り果てぬ
蓄妾常に逸楽す
良家ますます相寂し
老後を急ぎ勢力を
政客権を 弄 び
神聖無垢の議事堂に
雲助輩の行動を
国家の選良は大切な
喧々囂々市場のごとし
民の負担は日に重く
国家破産の緒を開く

眼を転じて眺むれば
国交ますます非運なり
噴火山上にある如く
これをば思ひかれ想ひ
涙は腮辺に滂沱たり
救ひて松の神の代に
樹てさせ給ひし尊さよ
御霊幸ひましまして
誠の神の現はれて
松間の長き鶴の首
守らせ給へと祈りまつる
風伯怒りを相発し

外侮しきりに相到り
人の思想は悪化して
いつ爆発も計られず
夜もろくろくに眠られず
古今未曾有のこの惨状
開かむための神の道
あゝ惟神　惟神
五逆十悪の濁世を
治め給はる時はいつ
亀の齢の常久に
天地の神も放り坐し
颱風しばしば到来し

雷電ひらめき激怒して
水神たちまち嚇怒して
海神怒濤を捲き起し
大地の神は旱魃を
地震の神は地軸をば
汚れし家屋を焼き倒し
地上の汚穢を焼き尽す
地妖を隈なく鏖殺し
神の恵みの幸ひて
現はれ来たり天地の
誠の道にかなしひと
民をば常永に救ひまし

天津御空に鳴りわたる
水難しきりに続発し
地上の蒼生を洗ひ去り
もたらし地疫を払ひまし
時々に動揺し給ひつ
火竜は紅蓮の舌を吐き
軍神怒りて天賊や
清め給ふぞ畏けれ
天来未知の大偉人
諸のけがれを潔斎し
神に選まれ果せたる
五六七の御代と成るなれば

ここに初めて天国は
地上にめでたく顕現し
無上至楽の世と成らむ
邪神を懲らし善神を
救はせたまふ御経綸
いふも畏き限りなり
これぞ全く皇神の
吾らに賜ひし御遺訓ぞ
万代倦まず皇神は
神訓垂れさせ給へども
世人の心いや曇り
神意を解するものもなく
大義を没し名分を
覚らざるものばかりなり
皇大神は世を歎き
神の教を立て給ひ
世人を導き救はむと
綾の聖地に現れまして
皇道本義を宣り給ふ
尊き世とは成りにけり
神の御綱に曳かれつつ
寄り来る人は押し並べて
この御教を遵奉し
模範を世界に示しなば

人は次第に善良の
尽す真人となりぬべし
自然に天地は清まりて
日月双び輝きて
草木は緑に禽鳥は
謳ひて神の御恵みに
身魂と化りて世のために
さすれば神は喜ばし
五風十雨の順序よく
万民歓喜の雨に濡れ
神の御国に泰平を
浴する御代となりぬべし

二三　仁愛の真相（照国別）

舎身活躍　卯の巻（四〇）　第六章「仁愛の真相」
照国別は岩彦、照彦、梅公を従え、清春山の岩窟を立ち出でクルスの森まで進んで来た。一行はここに足を休めながら神徳談に時を移し、照、梅二人の問いに答えて、照国別は厳かに至仁至愛（みろく）の大神の真相を歌う。

三千世界の救世主
大慈大悲の大聖者
心は兎の毛の露もなし
道風徳香万有に
智慧恬かに情恬か
意悪は滅し識亡じ
永く夢妄の思想念

○

身は有に非ず無にあらず
自他にもあらず方に非ず
出にも非ず没ならず
為作にあらず起に非ず

五六七神の真実は
垢なく染なく執着の
天人象馬の調御師ぞ
薫じ渡りて隈もなし
慮凝いよいよ静かなり
心は清く明らかに
断じて水の如くなり

因にもあらず縁ならず
短長に非ず円ならず
生滅ならず造ならず
坐にしも非ず臥にあらず

行住にあらず動ならず
進にも非ず退ならず
非にしも非ず得失の
彼にしもあらず此にあらず
赤白ならず黄ならず
種々色にもまた非ず
具足し給ひし更生主
世界を照らす御真相
絶対無限の御神徳

○

戒定慧解の神力は
三昧六通は道品より

閑静に非ず転に非ず
安危にあらず是にあらず
境地に迷ふ事もなし
去来にあらず青にあらず
紅色ならず紫にあらず
水晶御魂の精髄を
是ぞ弥勒の顕現し
仰ぐもたかき大神の
蒙る神世こそ楽しけれ

知見の徳より生成し
慈悲十方無畏より起る

衆生は善業の因より出す
無限の暉を放散し
光明遠く明徹す
旋りて項に日光あり
項に肉髻湧出し
輝き上下にまじろぎつ
口頬端正唇舌は
四十の歯並は白くして
額は広く鼻脩く
万字を表はす師子の臆
千輻の相を具へまし
内外に握り臂脩く

これを示して丈六紫金
方整に照らし輝きて
毫相月の形の如
旋髪色は紺青に
眼は浄く明鏡と
眉毛の色は紺に舒び
丹華の如く赤く好く
珂雪の如く潔らけし
面門開けてその胸は
手足は清く柔らかく
腋と掌とに合縵ありて
肘も指も繊く長し

皮膚細やかに軟らかく
踝膝露はに現はれて
細けき筋や銷の骨
表裏映徹いと浄く
染まることなく塵受けず
至厳至聖の霊相なり
万有一切有相の
五六七は無相の相にして
衆生の身相その如く
心を投じ敬ひを
是ぞ即ち自高我慢
かくも尊き妙色の

毛髪何れも右旋し
陰馬の如くに蔵れたり
鹿の膊脹の如くなり
垢なく穢なく濁水に
三十三相八十種好
相や非相の色もなく
眼力対絶なしにけり
而して有相の身に坐し
一切衆生の歓喜し礼し
表して事を成ぜしむ
祓除されたる結果にて
躯をこそ成就し給ひぬ

一切衆生ことごとく
帰命し信仰したてまつり
歓喜し祝ひ舞ひ狂ひ
栄ゆる神世を仰ぐなる
仰ぐも畏き限りなり
仏の道の区別なく
世人を救ふ道なれば
弥勒の神の真実を
爰にあらあら述べておく
御霊幸ひましまして
古今を問はず東西を
研き究めて神 儒 仏

その神徳に敬服し
無事泰平の神政を
千代も八千代も万代も
原動力の太柱
三五教は神の道
ただただ真理を楯となし
神の教に表はれし
仏の唱ふる法により
あゝ惟神 惟神
三五教の御教は
区別せずして世の為に
その他の宗教の真諦を

覚りて世のため人のため　誠を尽せ三五の
教司はいふも更　信徒たちに至るまで
あゝ惟神惟神　御霊幸へましませよ
神素盞嗚大御神　厳の御前に願ぎ奉る

二四　苦楽の道

舍身活躍　卯の巻（四〇）　第一三章「試の果実」
カル、レーブ両人が気絶している間、その霊魂が霊界に遊び、楽中苦あり、苦中楽ありの真相を悟らしめられた一節。

芳香薫じ花匂ひ　蝶舞ひ小鳥は謳ひ
地は一面に花毛氈　空地もなしに敷きつめし
極楽浄土の光景を　眺めて通る頼もしさ

紺碧(こんぺき)の雲(くも)ただよへる
その光彩(くわうさい)は七色(しちしよく)に
また寒(さむ)からずその気候(きこう)
カルとレーブの両人(りやうにん)は
浄土(じやうど)の旅(たび)と言(い)ひながら
腹(はら)は空虚(くうきよ)を訴(うつた)へつ
衰(おとろ)へ来(き)たりて道(みち)の辺(べ)に
天国浄土(てんごくじやうど)の旅路(たびぢ)にも
飢渇(きかつ)のなやみあるものか
楽中苦(らくちうく)あり苦中(くちう)また
今目(いまま)のあたり実現(じつげん)し
互(たが)ひに往(ゆ)き交(か)ふものなるか

空(そら)に日月相並(じつげつあひなら)び
輝(かがや)き渡(わた)り暑(あつ)からず
中和(ちうわ)を得(え)たる真中(まんなか)を
足(あし)に任(まか)せて進(すす)み行(ゆ)く
少(すこ)しく足(あし)は疲(つか)れ来(き)て
五体(ごたい)の勇気(ゆうき)はいつしかに
ドッカと坐(ざ)して息休(いきやす)め
娑婆(しやば)の世界(せかい)と異(こと)ならず
神(かみ)の御諭(みふみ)に説(と)かれたる
楽(たの)しみありとの御教(みをしへ)は
とても天地(てんち)は苦(く)と楽(らく)の
至喜(しき)と至楽(しらく)の境遇(きやうぐう)は

神といへども得られない　これが天地の真相か
あゝ惟神　惟神　御霊幸ひましまして
苦楽の道をほどほどに　まくばり与へ吾々を
安く守らせ給へよと　心に深く念じつつ
道の傍へに座を占めて　大空仰ぎ地に伏して
悔悟の涙にくれにける

二五　霊の子（北光神）

舎身活躍　巳の巻（四二）　第二一章「応酬歌」

印度の入那の国の内乱が、神素盞嗚大神の宣伝使北光彦神のご加護と、黄金姫、清照姫の母娘の宣伝使の活躍とセーラン王の自覚と忠臣の活躍によってめでたく治まったのを祝福して高唱された宣伝歌。

神が表に現はれて　善神邪神を立別ける

そもそも神が人間を
この世に下し給ひしは
天国浄土の繁栄を
開かむための思し召し
選り清めたる魂と魂
高天原に現はれて
夫婦の道を開きつつ
現界人と同様に
霊的活動を開始して
情と情との結び合ひ
天人男女は相共に
美斗能麻具倍比なしながら
清き正しき霊子を
地上の世界に生み落とし
人間界に活動する
夫婦の体に蒔きつける
天より降せし霊子は
父と母との御火水にて
たちまち母体に浸入し
動静解凝引弛分合の
八つの力や剛柔流
三つの体をもととして
十月の間母の身に
潜みて身体完成し

霊子の宮を機関とし
人の子として生まれたる
地上における教育を
霊肉ともに発達し
この世を捨てて天国の
そも人間の肉体は
天人どもの霊の子が
種蒔き苗立ち天国の
人はいよいよ現界を
天国浄土の神業に
あゝ惟神　惟神
この地の上に建設し

この世に現はれ来たるなり
神の御子なる人々は
完全無欠に受けながら
その成人の暁は
御園に帰るものぞかし
天津御国に住まひたる
発育遂ぐる苗代ぞ
田畑に移植する時は
離れて天に復活し
参加しまつる時ぞかし
神の御国は目のあたり
天国浄土の移写として

短きこの世を楽しみつ　天津御霊を健やかに
磨きつ育てつ雲霧を　押し分け帰る神の国
あ、有難し有難し

二六　光と熱（治国別）

舎身活躍　未の巻（四四）　第八章「光と熱」
治国別が、しばしば言霊によって神徳を発揮したのに感激した弟子たちの質問に答えて説示した宣伝歌。

高天原の天国に　住む天人は人のごと
智性と意志とを皆有す　智性的生涯を作り出す
ものは天界の光なり　そはこの光は神真の
中より出づる神智ぞや　その意志的生涯作り出す

ものは天界の熱と知れ
これより神愛出づるなり

○

さて天人の生命は
生命の熱より来ることは
亡ぶを見ても明らけし
これまた生命亡ぶべし
善は愛善の熱ぞかし
熱と光に相応する
地上を守る熱または
これらの道理を覚り得む
地上の万物を啓発し

そもこの熱は神の善

神の善なる熱よりす
熱なきものは生命の
無愛の真と無善真
真は信真の光にて
これらの事物は神界の
一定不変の力なり
光を見れば明瞭に
世間の熱は光と和し
残る隈なく成育す

熱と光とが相和すは
春夏の両期に在るものぞ
熱なき光は万物を
活動せしむることを得ず
かへつて死滅に到らしむ
冬期は熱と光との和合なく
光のみにて熱はなし
高天原の天界を
楽園なりと唱ふるは
熱光の相応あればなり
真と善とが相合し
信と愛との合するは
地上の春期に当るとき
光熱和合する如し

○

天地の太初に道あり
道は神と共にあり
道は即ち神なるぞ
万物これにて造らるる
造られたるもの一として
これに由らずして造られし
ものは尠しもあらじかし
これには清き生命あり

生命(いのち)は人(ひと)の光(ひかり)なり
全(まった)く造(つく)り上(あ)げられぬ
なりて吾曹(われら)の間(あひ)に宿(やど)る
聖者(せいじゃ)の道(ことば)は主(す)の神(かみ)の
如何(いかん)となればそは道(ことば)
されど道(ことば)はことさらに
知(し)るもの更(さら)になかるべし

○

道(ことば)といふは聖言(せいげん)ぞ
この神真(しんしん)は主(す)の神(かみ)に
現(あら)はれ来(き)たる光(ひかり)なり
高天原(たかあまはら)にて一切(いっさい)の

かれ世(よ)に在(いま)し世(よ)は彼(かれ)に
けだし道(ことば)は肉体(にくたい)と
吾(われ)その光栄(くわうえい)を見(み)たりてふ
力(ちから)を意味(いみ)するものぞかし
肉体(にくたい)となれりといふに由(よ)る
何(なに)を表(あら)はすものなるか

聖言(せいげん)すなはち神真(しんしん)ぞ
存(そん)し給(たま)へば主神(すしん)より
光(ひかり)は主神(すしん)の神真(しんしん)ぞ
力(ちから)を有(たも)つは神真(しんしん)ぞ

神真なくば力なし
呼(よ)びて力(ちから)と称(たた)ふなり
所受者(しょじゅしゃ)なるのみならずして
如上(にょじゃう)のごとく観(くわん)ずれば
この神力(しんりき)を有(たも)つゆゑ
それに反抗(はんかう)するものを
たとひ数万(すまん)の叛敵(はんてき)の
高天原(たかあまはら)の神光(しんくわう)と
かがやき来(き)たる一道(いちだう)の
ただちに戦慄(せんりつ)するものぞ
天人(てんにん)たるは神真(しんしん)を
全天界(ぜんてんかい)の根元(こんげん)を

故に一切の天人を
実(げ)に天人(てんにん)は神力(しんりき)の
神力(ちから)を収(をさ)むべき器(うつは)なり
天人(てんにん)すなはち力(ちから)なり
地獄界(ぢごくかい)まで制裁(せいさい)し
全(まつた)く制禦(せいぎょ)し得(え)らるなり
現(あら)はれ来(き)たる事(こと)あるも
称(たた)へまつれる神真(しんしん)ゆ
光明(くわうみやう)に遭(あ)ひしその時(とき)は
以上(いじやう)のごとく天人(てんにん)の
清(きよ)けく摂受(せつじゅ)し得(う)るゆゑに
組織(そしき)するものは神真(しんしん)の

光に決して外ならず
ものは天人なればなり

○

神真中に断のごとく
潜みゐるとは現界の
または言語に外なしと
信じ能はぬところなり
力を有するものならず
活動する時初めてぞ
されど神真はその中に
天界こそは造られぬ
万物併せてことごとく

そは天界を組織する

偉大無限の神力の
真理を以てただ思想
思ふ学者のなかなかに
思想や言語は自身にて
主神の命に従ひて
力を生ずるものとなす
自づからなる力ありて
地上の世界もその中の
これにて造られたるものぞ

かくも尊き神力の
二個のここに比証あり
真との力その次に
光と熱との力にて
覚り得らるるものぞかし
神のまにまに答へおく

神真の中にあることは
即ち人間にある善と
世間よりする太陽の
神の御稜威を明らかに
あゝ惟神　惟神

二七　高天原（治国別）

舎身活躍　未の巻（四四）　第一四章「思ひ出の歌」

神素盞嗚大神の命を奉じてイソ館を出発した治国別は、河鹿峠にて片彦、久米彦のバラモン軍を言霊の力に追いはらい、祠の森において国照姫の神勅を仰ぎ、エルサレムを襲わんとする鬼春別、久米彦を言向和すために勇躍出発しつつ、雄々しく高天原の真相と神業奉仕の尊さについて歌った。

高天原はいづくなる
栄え久しきパラダイス
現世の衣をぬぎすてて
いと珍しき神の国
清く正しき神の国
御霊の清き人々の
堅磐常磐に栄えゆく

○

高天原はいづくなる
夜なき清き神の国
星の影さへキラキラと
幾百倍の光あり
皆天人と讃へられ
主の御神のあれませる
月日は清く明らけく
地上の世界に比べては
この楽園に住む人は
不老と不死の境界に

おかれて主神を信愛し
いや永久に栄えゆく
神の御国ぞ尊けれ
ここに二つの区別あり
称へて神の在す国
称へて清き身霊らの
成りすましたる人々の
霊国　天国もろともに
夜昼なしに輝きて
玻璃や珊瑚の殿堂や
玲瓏玉の如くなる
手を携へて神業に

無上の正覚開きつつ
あゝ惟神　惟神
高天原の天界は
その第一を霊国と
第二の国を天国と
地上を捨てて天人と
喜び勇み遊ぶ国
愛と信との日月は
金銀　瑪瑙　瑠璃　硨磲
樹木は野辺に繁茂して
天人男女は永久に
勤しみ仕へまつりをる

宇宙唯一の神の国
御霊幸へましまして
身霊を汚す事もなく
御魂となりて天国へ
尊き恵みに包まれて
住まはせ給へ天津神
ミロクの神の御前に
朝日は照るとも曇るとも
神に任せし吾々は
至粋至純神ながら
信と愛とに培ひて
神の御国に神籍を

あゝ惟神 惟神
地上に生まれし吾々の
現世の事みな終へて
上りし時は主の神の
安く楽しく永久に
国治立大神や
畏み畏み願ぎまつる
月は盈つとも虧くるとも
いかでか曲に汚されむ
神に稟けたる御魂をば
この身このまま天国の
置かさせ給へ 惟神

神の御前に願ぎまつる
地上に人の種を蒔き
清き御霊を養ひつ
主神のまします天界へ
大神業に仕ふべく
人と生まれし神の子は
神をば信じ　かつ愛し
つくす身霊となるならば
思へば思へば人の身は
あゝ諸人よ皇神の
神の教をよく守り
身霊を汚すことなかれ

仁慈無限の大神は
肉の宮をば胞衣として
成人したるその上は
迎はせ給ひ天国の
依さし給ひしものならば
善をば励み悪を避け
神の御子たる本分を
いかでか捨てさせ給ふべき
実に有難いものぞかし
仁慈の心汲み取りて
小さき欲に囚はれて
限りも知らぬ生命を

保(たも)ちて栄(さか)ゆる天国(てんごく)の
青人草(あをひとぐさ)を守(まも)るべき
もはや欠点(けつてん)なきものぞ
現幽神(げんいうしん)の三界(さんがい)を
かかる尊(たふと)き大御代(おほみよ)に
至幸至福(しかうしふく)の者(もの)ぞかし
讃(たた)へまつれよ神(かみ)の徳(とく)
人(ひと)は神(かみ)の子(こ)神(かみ)の宮(みや)
あゝ惟神(かむながら)惟神(かむながら)

御民(みたみ)となりて地(ち)の上(うへ)の
身霊(みたま)とならば人(ひと)として
ミロクの神(かみ)が現(あら)はれて
立別(たてわ)け給(たま)ふ世(よ)となりぬ
生(う)まれあひたる吾々(われわれ)は
喜(よろこ)び祝(いは)へ神(かみ)の恩(おん)
神(かみ)は吾等(われら)と倶(とも)にあり
決(けつ)して汚(けが)すことなかれ
御霊(みたま)の恩頼(ふゆ)を願(ね)ぎまつる

二八　月(つき)の温(をん)姿(し)（治国別、竜公）

治国別は神の愛と信と智慧証覚に充たされ、さしもの強敵の陣営に向かって武器を持たず進み行くについても、ほとんど、春秋の藪入りに親里に帰るような心持ちで途々歌を歌いながら進み行く、その雄々しさ。竜公もタールもいつとはなしに治国別の悠揚迫らざる態度に感化されて、すっかり天国の旅行気分になってしまった。

竜公『月山に入らず　天は暁けざれど
雲雀や百鳥の　忙しき声に励まされ
眠たき眼を擦りながら　早くも荒野に
歩みを起しぬ

○

露持つ草葉を　草鞋に踏めば
袖吹くあしたの風は　美しく薫りて
汗を拭ひ胸を洗ふ　旅路の愉快さよ

坂照山の月清くして
松風に添ふ
笙の音も
いと床しく聞え来たりぬ』
治国別『数百万年の太古から
冷え切つた死んだやうな
寂かな月が
大空に独り輝いてゐる
それは
地上の万有に
瑞光を投げて
仁慈の露を
蒼生の上に降し
生命の清水を
与へむがために
和光同塵の
温姿を現じ給ふためだ
月は盈ちあるいは虧け
あるいは没して
地上の世界に
明暗の神機を示し
仁慈の神業を
永遠無窮に
営ませ給ふからだ

人間の眼より　冷然たる月と見ゆるは
温情内包の摂理に　その霊光を隠させ給ふためだ

○

生来の差別愛より　神的なる
平等愛に進む経路は　実に
惨憺たる血涙の　道を行かねばならぬ
これが　不断煩悩得涅槃の
有難い消息が秘められてあるのだ

○

信仰によつて　不信なる吾人の頑壁が
身心脱落し崩壊し去る時は　神の宝座より
吹き来たる霊風の鞴に　解脱新生の歓喜を為し

猛火も焼く能はず
金剛不壊の法身
吾に本具現成するを
その時こそは
一時に灼鑠たるも
自性法界を荘厳するの七宝
摩尼宝珠なるべきのみだ

○

吾人が法悦の信楽は
慧しい科学の斧によつて
会ふやうな
主の神の持し給へる

波浪も没する能はず底の
おのづから
自覚し得るに至る
百千の夏日昇りて
ただ是
清浄妙心を照映するの

現代の冷たい哲学の鋸や
忽ち幻滅の非運に
ソンナ空想的のものではない
愛の善と信の真とによつて

智慧と証覚の上に　立脚したる大磐石心だ

二九　祈り（アーク）

舎身活躍　戌の巻（四七）　第五章「逆襲」

治国別の宣伝使に感化され、たちまち信仰の妙諦を悟りしアークは郊外を散歩しながら歌いだした。

見渡す限りの枯野原　万木の梢は羽衣を脱ぎ
肌をたち切るばかりの　寒風に戦慄してゐる
独り松柏のみは蒼々たり　ヒヨやツムギや百舌鳥　雀などが
悲しげな声調を搾つて　浮世の無情を訴へてゐる
吾が目に収容さるるものは　生気の褪せた
細氷の波を敷きつめた　銀冷の世界のみだ

万有一切はあらゆる活動を休止し
いはゆる
冬籠りの最中である
かかる冷酷無残の光景を眺めて
貧しき人は何れも寒気と飢餓に泣く
反対的に富めるものは
雪見の宴を張り
嬋妍たる美姫を招き
青楼に酒盃をかたむけ
体主霊従的歓楽にふける
社会は真に様々なものだ
冬日積雪のために
労働の機を得ず
生命の糧を求めて泣くもあれば
冷たき雪の景色をながめて
酒類にひたり
一宵千金を浪費濫用して
なほも惜しまぬものあり
顧みれば凡て社会の諸行は無常なり
因果応報の神理に暗き
現代人は科学的知識のみを漁りて
永遠の天国を知らず
また根底の国の何たるを解せず
酔生夢死無意義なる

生涯を送るあり
厳寒の空に戦き慄ひつつ
人生の暗黒面は
ぽたりぽたりと地上に降る
人の身の四辺を包む怪しさ

○

ア、されどされど
自ら眼醒めたる吾人は
天地の主なる神の
全身に漲らしつつ
世人の怖るる針刺すごとき厳冬も
死んだやうな夜半の空気も

世間の無情冷酷を歎きて
面白からぬ冬日を送るもあり
椿の花の梢を去るごとく
悲喜交々の社会のおとづれ

愛善の火と信真の光に
光栄なり幸ひなり
玉の如き神格の内流を
智慧と証覚にひたりてより
万物声を潜むる冷たき
吾人には暖かき春陽の思ひあり

ア、主の神よ主の神よ　わが身魂を機関の一部分として
いや永久に使はせ給へ　無限絶対無始無終の神格者
愛善の肉と　神真の血を以て
吾らの上に太陽の如く月の如く　降らせ給へ
惟神霊幸はへませ

三〇　天津祝詞（治国別）

舎身活躍　戌の巻（四七）　第一七章「天人歓迎」
第二天国の入り口で昏倒した治国別、竜公の両人は木の花姫命より霊丹をいただいて気力を回復し、さらに『善言美詞の言霊は霊界の如意宝珠である』等の教訓をうけ翻然として悟り、祝詞くずしの宣伝歌を歌いつつ第二天国の奥深く進み行く。

高天原に八百万　尊き神ぞつまります

神漏岐　神漏美二柱
日の神国をしろしめす
筑紫の日向の　橘　の
みそぎ祓はせ給ふ時
貴四柱の大御神
罪や汚れや過ちを
清がせ給へと願ぎ申す
八つの耳をばふり立てて
世の太元とあれませる
守らせ給へ村肝の
あゝ惟神　惟神

皇大神の神言もて
神伊弉諾の大御神
小戸の青木が清原に
生り出でませる祓戸の
わが身に犯せる諸々の
祓はせ給へすみやかに
わが言霊を小男鹿の
聞し召さへと願ぎまつる
皇大神よ吾が一行
心を清め給へかし
御霊幸へましませよ

三一　神言（かみごと）（治国別）

舎身活躍　戌の巻（四七）　第一七章「天人歓迎」

第二天国の入り口にて木の花姫命より、霊界の如意宝珠は善言美詞の祝詞の奏上であることを教えられた治国別と竜公は、天津祝詞につづいて、神言くずしの宣伝歌を歌いながら第二天国を巡覧する。

珍（うづ）の御国（みくに）の神（かみ）の国（くに）　高天原（たかあまはら）に八百万（やほよろづ）
尊（たふと）き神（かみ）ぞつまります　この世（よ）を統（す）ぶる大御祖（おほみおや）
神漏岐（かむろぎ）　神漏美（かむろみ）二柱（ふたはしら）　厳（いづ）の神言（みこと）を畏（かしこ）みて
覚（さと）りの神（かみ）と現（あ）れませる　この世（よ）を思兼（おもひかね）の神（かみ）
百千万（ももちよろづ）の神（かみ）たちを　安（やす）の河原（かはら）に神集（かむつど）ひ
集（つど）ひ給（たま）ひて神議（かむはか）り　議（はか）らせ給（たま）ひ主（す）の神（かみ）は

豊葦原の瑞穂国
しろしめさへと事依さし
かくも依させし国中に
神問はしに問はしまし
語り問はして岩根木根
語り止めさせいづしくも
天にふさがる八重雲を
天より降り依さします
その真秀良場と聞えたる
浦安国と定めまし
いとも太しく立て給ひ
すみきりませる主の神の

いと安国と平らけく
固く任させ給ひたり
荒ぶり猛ぶ神どもを
神掃ひに掃ひまし
立木や草の片葉をも
天の磐座相放ち
伊頭の千別きに千別きまし
神の守りの四方の国
大大和日高見の国を
下津磐根に宮柱
高天原に千木高く
美頭の御舎仕へまし

天津御蔭や日の御蔭
心安国と平らけく
生まれ出でたる益人が
作りし罪はすみやかに
珍の御前に願ぎまつる
溝埋め樋放ち頻蒔きし
屎戸許々多久罪科を
国津罪とは地の上の
白人胡久美吾が母を
虐げ犯す百の罪
けものを犯し昆虫の
国翔りといふ高神の

被りたりと隠りまし
しろしめします国中に
過ち犯し雑々の
宣り直しませ惟神
天津罪とは畔放ち
串差し生剥ぎ逆剥ぎや
詔別け給ふ天津罪
生膚断や死膚断
犯せし罪や吾が子をば
母子ともども犯す罪
醜の災ひ天翔り
醜の災ひ高津鳥

百の災禍 獣 を
いや許々太久の罪出でむ
天津祝詞の神言もて
打ち切り打ち断ちことごとく
天津菅曾を本と末
取り裂きまつり皇神の
みやび言霊の太祝詞
かく宣る上は天津神は
天にふさがる八重雲を
心おだひに聞しめせ
小さき山の尾に登り
いほりを清くかきわけて

たふし蟲物なせる罪
かく数多き罪出でば
天津金木の本末を
千座の置座におきなして
刈りたち刈り切り八つ針に
授け給ひし天津国
完全に委曲に宣らせませ
天の磐戸を推しひらき
伊頭の千別きに千別きつつ
国津御神は高山と
高き低きの山々の
百の願ひを聞しめす

かく聞しては罪といふ
科戸の風の八重雲を
朝の霧や夕霧を
気吹き払ひしことのごと
つなぎし大船小舟をば
千尋の深き海原に
彼方に繁る木の元を
敏鎌を以て打ち払ふ
残れる罪はあらざれと
高山の末短山の
おち滝津瀬や速川に
大海原に持ち出でむ

あらゆる罪はあらざれと
気吹き放てることのごと
科戸の風の心地よく
浪うちよする大津辺に
舳を解きはなち艫解きて
押し出し放つことのごと
かぬちの造る焼鎌や
神事のごとく塵ほども
清め払はせ給ふことを
末より強く佐久那太理
まします瀬織津比売の神
かくも持ち出でましまさば

罪も汚れも荒塩の
塩の八百重にましませる
忽ち可々呑み給ひてむ
気吹の小戸にましませる
根の国底の国までも
かくも気吹き放ち給ひては
速佐須良比売と申す神
かくも失ひましまさば
身魂に罪とふ罪科は
払はせ給へいと清く
畏み畏み願ぎ申す
御霊幸へましませよ

塩の八百道の八塩道の
瀬も速秋津比売の神
かくも可々呑み給ひなば
気吹戸主と申す神
気吹き放たせ給ふべし
根底の国にあれませる
すべてを佐須良比失はむ
現世に在る吾々が
少しもあらじと惟神
あらはせ給へと大前に
あゝ惟神　惟神

三二　人生の本義（五三公）

舎身活躍　亥の巻（四八）　第一六章「途上の変」

治国別の弟松彦とともに小北山の霊場を清めて三五教の霊場とさだめた五三公は、治国別の行方を求めて浮木の森に向かい、神示の人生の本義について宣伝歌を歌いつつ行進し、火団と化して、イソ館へ帰ってしまった。

人は神の子神の宮
現実界の天地の
選まれ出でしものなれば
国治立大神の
愛と善との徳にをり
天津御神の賜ひてし

神霊界はいふもさら
その経綸の司宰者と
人はこの世の元の祖
神言のままに畏みて
真の信仰はげみつつ
一霊四魂をよく磨き

忍耐力を養成し
恵み助けつ神のため
尽してこの世の生神と
貴の身魂と悟るべし
誠一つの大道は
億兆年の末までも
決して動くものでなし
神の恵みに浸りつつ
神より来たる智を磨き
この世に人と生まれたる
この世を去りて霊界に
気吹戸主に審かれて

人と親しみまた人を
世界のために真心を
堅磐常磐に仕へゆく
たとへ天地は覆るとも
天地開けし初めより
堅磐常磐の巌のごと
吾らは神をよく愛し
ただ惟神　惟神
宇宙の道理をよく悟り
その天職を尽さずば
到りし時の精霊は
たちまち下る地獄道

実に恐ろしき暗界に
かくも身魂をけがしなば
対して何の辞あるべき
心を鍛へ肝を錬り
神の賜ひし恩恵を
かかる境遇に陥らば
神に対して孝ならず
曲津の群れに墜ち込みて
自ら世界に遠ざかり
集むる身とぞなりぬべし

顛落するは必定ぞ
吾らを造りし祖神に
日ごと夜ごとに村肝の
善しと悪しとを省みて
うつかり捨つることなかれ
天地を造り給ひたる
吾が身をはじめ子孫まで
塵や芥と同様に
百千万の罪業を
省み給へ諸人よ

三三　冥歌（治国別・竜公）

舎身活躍　亥の巻（四八）　第一八章「冥歌」

幽界旅行無事終了のお礼のため三五教の大神を祭り、感謝祈願の祝詞を奏上し、治国別、竜公は声調ゆるやかに歌う。

治国『高天原は何処なる　清き尊き神の国
栄えの花の永久に　咲きみち匂ふ神の国』
竜公『高天原は何処なる　八重棚雲をかき分けて
清き尊き神人の　堅磐常磐にのぼりゆき
無限の歓喜に打たれつつ　喜びゑらぎ遊ぶ国』
治国『高天原の神国は　愛の善徳充ち充ちて
住む天人はことごとく　神の恵みに包まれつ

日々の業務を謹みて　神の御国の御為に
心を一つに固めつつ　円満具足の団体を
ますます清く麗しく　開き進む天人の
喜び勇み住まふ国』

竜公『高天原の霊国は　月の御神の永久に
鎮まりいます瑞の国　山川清く野は茂り
春と夏とのうららかな　景色に充てる珍の国
百の木の実はよく実り　名さへ分らぬ百鳥は
常世の春を祝ひつつ　喜びゐらぎ遊ぶ国
顔面清く照りわたる　姿優しくニコニコと
憂ひを知らぬ神の国　人と生まれし吾々は
この世に生きて大神の　道の御為世の為に

心を研き身を尽し　霊肉分離のその後は
天の八衢関所をば　越えずに直ぐに天国へ
上る御霊に進むべく　今より心を研くべし
神は吾らと倶にあり　人は神の子神の宮
いかでか神に帰らざらむ　あゝ惟神　惟神
御霊幸へましませよ』

三四　霊界土産（文助）

真善美愛　卯の巻（五二）　第一〇章「霊界土産」

小北山の神殿では、文助が蘇生したその祝意を表すために盛大な祭典を行い、かつ直会の宴を張った。文助は霊界土産の歌を歌う。

無限絶対無始無終　生死の上に超越し

この世を造り給ひたる
生まれ出でたる人草は
永遠無窮の生命を
生き通し行く尊さよ
恵みの綱にあやつられ
知らず識らずに突入し
現実界に変りなく
吾が身の嘗て死去したる
これを思へば人の身は
不老不死にて永遠に
霊物ぞと知られける
一たび神の御国へ

皇大神の神徳に
いづれも神の子神の宮
保ちて顕幽両界に
われは一たび大神の
ふとした事より霊界に
山河草木ことごとく
大地の上を歩みつつ
事は一つも知らざりき
神の教にあるごとく
神の御国に栄えゆく
あゝ惟神　惟神
旅立ちしたる愉快さは

醒めてこの世にありとても
実にも楽しき霊界の
さながら高天の神界に
松姫司やその他の
ふたたび現世に立ち返り
実にもこの世は娑婆世界
彷徨ふものとの感深し
目かひの見えぬ吾々も
残る隈なく目撃し
身も軽々と道を行く
苦痛は少しも知らざりき
足を早めて道行けば

容易に忘るることを得ず
光は今に現然し
身をおくごとき心地なり
百の司の介抱に
四方の有様伺へば
罪に汚れし状態に
神霊界に至りては
すべての物をありありと
ことさら気分も麗しく
地上の世界を行くごとき
現界人は気を急ぎ
かならず呼吸切迫し

心臓の鼓動たちまちに
喉は渇き汗は出で
覚ゆるなれど神界の
何の苦もなく易々と
実にもこの世は苦の世界
ただ聖人の方便と
深くも感得したりけり
恨み嫉みも醜業も
愛と善との徳に充ち
輝き渡り日限も
常世の春の如くなり
仁慈無限の御経綸

烈しくなりて息つまり
足は疲れて苦しさを
旅行はこれに相反し
思ひのままに進みけり
厭離穢土ぞといふことは
思ひそめしは誤謬と
そもそも神の坐す国は
塵ほどもなきパラダイス
信と真との光明に
土地さへ知らぬ長閑なる
これを思へば大神の
ゆめゆめ疑ふ余地もなし

この大前に参集ふ
人のこの世にある時は
国の掟をよく守り
明らめ悟り実行し
開き給ひし大神の
善と真との徳を積み
智慧証覚に充たされて
完全無欠に相送り
御前にひれ伏しことごとく
門戸を開く準備をば
皆さま心を一つにし
神の御国の御為に

信徒たちよ司たち
時世時節に従ひて
五倫五常の大道を
最第一の神の国
その神格を理解して
神より来たる美しき
仮の浮世の生涯を
すべての罪を大神の
悔い改めて天国の
この文助はいふもさら
身の行ひを慎みて
吾が三五の大道を

尽しまつらむ神力を
祈れよ祈れ百の人
至りて親しく見聞し
黄泉路帰りの礼祭に
土産話と述べておく
御霊幸ひましませよ
月は盈つとも虧くるとも
少しも動かぬ神の国
身をおくならば何事も
省み給へ百の人
この神国に生まれたる
心の限り身のきはみ

具備させ給へと大前に
これ文助が霊界に
実験したる物語
集ひ給ひし人々に
あゝ　惟神　惟神
朝日は照るとも曇るとも
たとへ大地は沈むとも
常住不断の信楽に
恐るることやあらざらむ
われ人ともに慎みて
恵みに報いまつるべく
誠を捧げまつるべし

あゝ惟神 惟神　神の御前に文助が
見聞したる一端を　ここに謹み述べをはる
ア、有難し有難し　限りも知らぬ神の恩
果てしも知らぬ御稜威

三五　人の心

真善美愛　午の巻（五五）

大本教理に、主神は一霊四魂をもって心をつくり活物に賦すと示されたとおりに、人の心は神の大精神の分派であって、いとうるわしきものであるとの讃美の宣伝歌である。

人の心は天地の　神の心と皆一つ
欲望 感情 理屈など　起るは心の大海に

風吹き荒びて波さわぎ
御舟を破るは人心
本つ心は神心
信と真との光明に
天より来たる内覚の
迷はず騒がず焦慮せず
人を真の人といひ
神の国より称へらる

静かに浮かぶ天生の
神の給ひしそのままの
愛と善との徳にをり
浸りて真誠の智慧を享け
恵みにあるぞ神心
天授のままに世に処する
地上における天人と

三六　天地の花（治国別）

真善美愛　午の巻（五五）　第一四章「春陽」

治国別一行は二人の娘を助けて、改心帰順したバラモン教の鬼春別将軍らと共に玉置村の里庄テームス館に帰って来た。テームスは鬼春別らを悪魔のごとく忌みきらっていた。しかるに、鬼春別の読経の威徳に打たれ、気絶し幽冥旅行の結果、地頭に法なく、先祖代々民の膏血をしぼった吾が家は、その宿業によってこの災厄に遭えることを悟った。

治国別は歌をもって一同に訓う。

千早振る
すみきり守る神の国
この地の上に写しまし
人をば地上に生み落とし
山川草木鳥獣
天と地との神業に
与へて降らせ給ひたる
かかる尊き人の身に

神の造りし神の国
高天原の天国を
天に閃く星のごと
浜の真砂の数のごと
うろくづ虫まで生ませつつ
仕へしめむと神の水火
人は神の子神の宮
いかでか曲の潜むべき

体主霊従の小欲に
天国浄土に帰るべき
中有界や地獄道
餓鬼畜生の魔道へと
人は生命のあるうちに
神の心をよく悟り
弊履のごとく打ちすてて
身に備へつつ現世の
けがれを清め世を照らし
この世の中を面白く
さはさりながら人の身は
神の教に離れなば

五感を曇らせたればこそ
清き身魂は堕落して
譬へ方なき醜穢なる
誤り堕ちゆくものなれば
悔い改めて天地の
利己一偏の自愛心
至仁至愛の神徳を
光ともなり塩ともなり
天地の花と謳はれて
渡り行くべきものなるぞ
いかなる智徳ありとても
善も変じて悪となり

幸ひ変じて災禍と
ただ人の世は天地の
守りて百の事業に
ありては国の楯となり
天津御国の良民と
今より神の大道を
神は吾らと倶にあり
神に受けたるこの身魂
百の人々皇神の
心を清め身を浄め
輝き渡りて村肝の
光を照らさせ給ふべし

たちまち変る浅ましさ
神の教を第一に
いそしみ仕へ現世に
神霊界に至りては
なりて神業に仕ふべく
踏み外さずに進むべし
神は汝と倶にます
いかで棄てさせ給ふべき
愛と善との徳により
信と真との光明に
心の空に日月の
あゝ惟神　惟神

謹み敬ひ宣べ伝ふ

三七　神慮

真善美愛　未の巻（五六）　第一章「神慮」

天界の天使天人も地獄の魔王、サタンもすべて人の霊魂が向上し、または堕落したものであることを明示し、主の神の神格の至仁至愛なることを教えられた歌である。

現代人はおもへらく　根底の国には最初より
一個の魔王厳在し　諸多の地獄を統轄し
堕ち来る精霊の罪悪を　制配なすと恐れられ
魔王は嘗て光明の　天人なりしも叛逆の
罪に問はれて衆族と　共に地獄に堕とされし

ものとの信仰昔より
真相覚れるものもなし
約言すれば地獄なり
背後に位置せる地獄にて
兇悪もつとも甚だし
地獄をサタンと称ふなり
さまで兇悪ならざれば
またルシファーといふ意味は
彼らの領土は久方の
故に一個の魔王ありて
地獄天界両界に
皆これ人の精霊より

深く心に刻まれて
魔王もサタンもルシファーも
殊に魔王と称ふるは
ここに住めるを兇鬼といひ
また前面に位せる
サタンは魔王に比ぶれば
これをば兇霊と称ふなり
バベルに属する曲にして
天界までも拡がれり
地獄を統治し坐さざるは
住める精霊に別ちなく
するものなるや明らけし

天地創造の始めより
幾億万の人霊が
皇大神の神格に
各自に一己の悪魔なる
地獄を造り出せし由
浄めて神の坐す国へ
あゝ惟神　惟神

○

愛と善との徳に充ち
真の神は罪悪と
仁慈と光栄の御面を
地獄に墜落させたまひ

現代社会に至るまで
現実界に在るときに
反抗したる度に比して
業を積み積み邪鬼となり
悟りて常に霊魂を
昇り行くべく努むべし
御霊幸へましませよ

信と真とに住みたまふ
虚偽に充ちたる人々に
背けてこれを排斥し
邪悪に対して怒りまし

これをば罰し害ふと
伝へ来たりしものぞかし
大御心を誤解せし
神はいかなる罪人にも
怒りて精霊を地獄界へ
決して加ふるものならず
そのゆゑ如何と尋ぬれば
珍の身体なればなり
排斥すべき理由なし
背き斥け怒りまさば
その本性に悖りまし
それゆゑ神はどこまでも

各宗各派の教役者が
この言説は大神の
痴呆学者の言葉なり
面を背け排斥し
決して堕とすものならず
善と愛とは主の神の
善の自体は害悪を
愛と仁とは何人も
万一神が罪人に
仁慈と愛に背反し
神格自体に反くべし
人の精霊に接しますや

善と仁慈と愛により
五六七の神は人のため
仁慈を施し給ふのみ
御霊幸へましませよ

○

神より人に流れ来る
信と真との光のみ
悪逆無道ばかりなり
悪より離れて善道に
これに反して地獄界は
一心不乱に焦慮せり
天界地獄両界の

臨ませ給はぬことはなし
善を思念し克く愛し
あゝ惟神　惟神

凡てのものは愛の善
根底の国より来るものは
まことの神は人間を
立ち返らせむと為し給ふ
人をば悪に誘はむと
さはさりながら人間は
間に介在なさざれば

人は何らの想念も
あらず身魂も亡ぶべし
あるは正邪を平衡する
神もし人の精霊に
悪事を心のままになし
神より人に向かひまし
唯々善の徳のみぞ
善良無比の身魂にも
少しく相違の点あるは
対して悪を離れしめ
善良無比の身魂には
善をば積ませ給ふなり

意義も自由も選択も
人に善悪二方面
神の賜物なればなり
面を背け給ひなば
人たる所以は滅ぶべし
流れ来たれる光明は
しかるに悪しき人間も
皆その神徳に浴すなり
真の神は悪人に
救ひやらむと為し給ひ
ますます円満具足なる
以上のごとき差異あるは

人間自身の心より
凡ての人は天界や
中有界に居ればなり

○

世界の人は天界の
地獄によりて悪を為す
凡ての事物は霊界の
示させ給ふ所以なり
残らず己の身よりすと
悪は皆その自有となし
それゆゑ人は自身より
神の関する由来なし

これをば敢へて為すものぞ
地獄の所受の器にて

流れを受けて善を為し
ゆゑに大本神諭には
皆精霊の為す業と
されども人はその行為を
信ずるゆゑにその為せる
心中深く膠着せり
悪と虚偽との因となる
人の身魂に包有せる

悪と虚偽とはその人の　心の中の地獄なり
地獄といふも悪といふも　皆同一の事ぞかし
人は自ら包有せる　諸悪の原因なるゆゑに
地獄に墜ちて苦しむも　自ら赴く次第なり
決して真の大神は　地獄に堕とし苦しめて
処罰し給ふものならじ　如何となれば人間が
悪を欲せず愛せずば　主の大神は地獄より
脱離せしめて天界へ　導き給ひ人をして
地獄に投げやり給ふこと　決してなきを悟るべし
あゝ惟神　惟神　御霊幸へましませよ

三八　光(ひかり)の神(かみ)は御空(みそら)より

真善美愛　申の巻（五七）　総説歌

神の子神の宮たる人生の意義を述べ、大本の教えは宇宙の大根元の神からの教えであり、特に大本開祖に帰神された国祖国常立尊の神教の絶対尊厳なることを示され、さらにエス語、バハイ教、紅卍字会や普化教なども、主神の大経綸によって出現し、ミロクの神業に奉仕して、完全なるミロクの世にいたる由を述べられている。

神(かみ)が表(おもて)に現(あら)はれて　善(ぜん)と悪(あく)とを立別(たてわ)ける
善(ぜん)の中(なか)にも悪(あく)があり　悪(あく)の中(なか)にも善(ぜん)がある
善悪正邪(ぜんあくせいじゃ)は人間(オーニー)の　知識(ちしき)の程度(ていど)で判(わか)らない
ただ何事(なにごと)も惟神(かむながら)　神(かみ)の御旨(みむね)に任(まか)すのみ
この世(よ)を造(つく)りし神直日(かむなほひ)　心(こころ)も広(ひろ)き大直日(おほなほひ)
ただ何事(なにごと)も人(ひと)の世(よ)は　直日(なほひ)に見直(みなほ)し聞直(ききなほ)し

世の過ちは宣り直せ
天津使のエンゼルの
充たされ肉体人に容り
奉仕せむため生まれ来ぬ
御霊幸へましまして
誠の神が降りまし
任し給ひし尊さよ
黒白もわかぬ時なれど
鳩のごとくに降りまし
経綸さるるぞ有難き
厳の精霊に神格を
出口の守と現はれて

人は神の子神の宮
その精霊に神格を
天地経綸の神業に
あゝ惟神　惟神
この世の終りに日地月
瑞の御霊に神業を
世は常闇となり果てて
光の神は御空より
空前絶後の神業を
国の御祖の大御神
充たし予言者の体に依り
この世を照らし給ふ世は

漸く近づき来たりけり
青人草の末までも
最後の光明艮めなり
神の生宮予言者の
あゝ惟神惟神
朝日は照るとも曇るとも
地震り海は浅するとも
エスペラントやバハイ教
残らず元津大神の
そのほか諸々の神教は
世を立直すためぞかし
十二の流れ一時に

仰ぎ敬へ四方の国
三五教の御教は
眼を醒ませ耳開き
貴の言霊守るべし
御霊幸へましませよ
月は盈つとも虧くるとも
誠一つは世を救ふ
紅卍字教や普化教も
仕組み給ひし御経綸
この世の末に現はれて
国会開きが始まりて
清く流るる和田の原

底井も知れぬ海潮の　深き思ひぞ計れかし
いよいよ五六七の世となれば　山河草木いふもさら
禽獣虫魚も押し並べて　神の仁慈の露にぬれ
一入清き霊光を　照らし栄ふる世とならむ
仰ぎ敬へ神の徳　慶び奉れ神の愛

三九　夏と秋（アキス、カール）

真善美愛　酉の巻（五八）　第一九章「舞踏」
スマの浜辺で主人の船を待ちながら、アキス、カールは暑さに打ち勝つために歌を歌う。

アキス『夏は　人間にとりて
休むべき時ではない　むしろ一層強く

働くべき時だ
日は天に輝き
人間の周囲にある
この時に孳々として
人間のみ安閑として
徒然として
遊惰にこの好日を
国祖の大神は
一日も
休養せずに吾人のために
真に
この孟然たる

見よ
雷霆轟き
草も木も
盛んに生長し繁茂しあるに
ひとり
避暑に耽り
銷過することができようか
開闢の太初より今日に至るまで
片時も秒間も
働き給ふではないか
天地の間に流行する
至大霊活の一気を

感得するものにありては
かへつて無上唯一の安息である
真の安息は
母体と気息を通同する
自然法界の霊運に
活動の中に存するのみである』

カール『夏の日は
またしてもまたしても
名利肉楽の欲火が熱いのだ
吾人の心中に燃えてゐる
毒焔があついのだ
吹きわたる

労働こそ
けだし
かの臍帯によりて
胎児のそれのごとく
順応する生活

決して暑いものではない
吾人の心に燃えつく
生まれながら
貪瞋痴愛の
四時永久に
聖霊の涼風を納れて

かの欲火と
消すことを礙ぐる
鎖された
清涼なるべき夏を
感ぜしむるのだ
吹かれて
アキス『涼しい秋が来た
もの寂しい
錦を織り出した佐保姫の姿は
心の駒も
紅や萌黄の色あでやかな
日夜にその美を発揮し

毒焔とを
ひそかに
心の頑壁そのものが
さながら焦熱地獄と
吾人は聖霊の涼風に
天国の春に進むべきのみだ』
そしてどこともなしに
遠き近き四方の山野に
満目光耀として
いやに落着く
楓は
万丈の衣を晒すに似たり

小男鹿の声は
何となく悲調あり
霜の夜を歎つか
いとど憐れを催し
黄金の波を漂へ
鍬取りし農夫の
ア、然れど
光益々強くして
秋霜烈日の輝き
悩ませ虐げ滅尽し了へねば
ア、地上の草木は
光に害はれ

山奥に妻呼ぶ
偕老偕老と聞ゆれど
小夜砧の音もまばらになりて
日鶏の謳ふ声も
四方の田の面は
御代の富貴を誇りつ
書き入れ時期とはなりぬ
自然界の太陽は
その愛熱衰へ
斜めに万木万草を
休止せない勢ひである
熱に遠ざかり

枯れ朽つることありとも
声をそろへて果なげに
尊き大神の
温かみの籠もれる
吾人は　いはゆる
天地の花だ　果実だ
天界と地上の花だ
天人の前身だ
自然界の肉身の相応神たる
秋もなければ
ただ永遠に花咲き匂ひ
春の日と

夕べの虫の数々は
世を歎くとも
愛善と神熱と
神光を十二分に与へられた
万物の霊長だ
永遠に咲き匂ふ
神の生宮
否　天人の霊身と
吾人には
冬さへも来たらない
鳥謳ひ蝶舞ひ遊ぶ
万木万草の繁り栄ゆく

天恵的の夏とばかりだ
秋も冬も苦にはならない
恵まれた生ける身魂たる以上は
天国地上の花だ
冷たき空の残月に照る恐ろしさ
天人の白き柔らかき
肌と感ずるのだ
けたたましい木枯しの音も
笙の音とぞ聞く
天国の春よ

されば吾人は
主の神の内流的神格に
永遠無窮に
剣をかざし万有に迫る霜柱も
吾はこの惨憺たる光景を見て
温情の籠もる
またピュウピュウと吹き荒ぶ
天津乙女の奏づる
ア、面白きかな
人間の世界の秋よ』

四〇　開窟（玉国別）

真善美愛　戌の巻（五九）　第一六章「開窟」

三五教の宣伝使玉国別、三千彦ら一行は、これを捕らえんと謀るバラモン教のキヨの関守チルテル以下全員、および三五教を仇敵とつけねらうテルモン館の反逆者ワックスほか四名と共に、出口の閉された地底の岩窟深く落ち込み万事休するに至った。眼前に迫り来る死の前には呉越も争いを止め、悪逆も善心に立ち返り神の救いを祈りだした。

玉国別は大声を張り上げて歌う。

天地に神の在すかぎり
三千彦司をはじめとし
天の益人村肝の
持たせ給へよ惟神

人は神の子神の宮
救はせたまはぬ事やある
チルテル　ヘールそのほかの
心を安く平らけく

神(かみ)の恵(めぐ)みは草(くさ)や木(き)の
宿(やど)らせ給(たま)ふものなるぞ
落(お)ち込(こ)み日影(ひかげ)を見(み)ぬとても
尊(たふと)き清(きよ)き皇神(すめかみ)は
朝日(あさひ)は照(て)るとも曇(くも)るとも
たとへ大地(だいち)は沈(しづ)むとも
この岩窟(がんくつ)に集(あつ)まりし
一(ひと)つになして皇神(すめかみ)の
心(こころ)の底(そこ)から改良(かいりやう)して
必(かなら)ず救(すく)ひ給(たま)ふべし
勇(いさ)めよ勇(いさ)めよ皆(みな)の人(ひと)
悔(くや)めば悔(くや)むことが来(く)る

片葉(かきは)の露(つゆ)に至(いた)るまで
いかに地底(ちてい)の岩窟(がんくつ)に
三五教(あななひけう)を守(まも)ります
かならず救(すく)ひ給(たま)ふべし
月(つき)は盈(み)つとも虧(か)くるとも
誠(まこと)の力(ちから)は世(よ)を救(すく)ふ
吾(われ)ら一同(いちどう)心(こころ)をば
その大恩(だいおん)を讃(ほ)め称(たた)へ
誠(まこと)の道(みち)に叶(かな)ひなば
心(こころ)を労(らう)する事(こと)なかれ
勇(いさ)めば勇(いさ)むことが来(く)る
たとへ千尋(ちひろ)の海底(うなそこ)に

身は沈むとも何かあらむ
死なむと思へど死に切れず
吾らを見放し給ひなば
命を召させ給ふべし
神に任して赤心を
現はしまつるに如くはなし
あがめよあがめよ神のいづ
心も広き大直日
直日に見直せ聞直せ
三五教の吾々は
すこしも恐れぬ大和魂
これの岩窟を委曲に

神の守りのある中は
これに反して大神が
地上に安く住むとても
ただ何事も惟神
皇大神の御前に
祝へよ祝へよ神の徳
この世を造りし神直日
ただ何事も人の世は
身の過ちは宣り直せ
いかなる艱みに遇ふとても
生言霊を打ち出して
開きて救ひ助くべし

心安かれ諸人よ

言霊の威徳たちまち現れ、初雅姫は猛犬スマートを先頭に、入り口を開いて一同の危急を救い給うた。

四一　宣伝使（玉国別）

真善美愛　亥の巻（六〇）　第七章「方便」

イズミの国スマの里の豪農バーチル夫婦は猩々と共に、玉国別一行に救われ、神恩を感謝するため、アズモス山に新たに神殿を造営し、一方、その資産を開放して村民に均霑せしめ、ここに大祝宴は開かれた。その席上、三五教に帰順したキャプテン・チルテルの問いにたいし、玉国別は神伝直授の宣伝方法と、幽玄微妙の教理とを歌をもって説示した。

神の恵みを身に禀けて　世人を救ひ助けむと
四方に教を開くなる　至善至愛の神司

たらむとすればいつとても
歓喜の情をたたへつつ
幽玄微妙の道を説け
座床を造り身を浄め
汚れに染まぬ衣をつけ
始めて宝座に着席し
極めて平易に道を説け
王侯貴人さまざまの
尽して微妙の意義を説き
人の身魂をよく査べ
天地の道理を説きさとせ
善言美詞の言霊を

心を安く穏やかに
蒼生に打ち向ひ
清浄無垢の霊地にて
塵や芥を排除して
心も身をも清くして
人の尋ねに従ひて
比丘や比丘尼や信徒や
前をも怖ぢず赤心を
面貌声色和らげて
因縁比喩を敷衍して
人は神の子神の宮
一人も嫌ふ者はない

もし聴衆のその中に
あるいは非難するあれば
神にかなはぬ言霊を
不知不識に発せるを
百千万の敵とても
感じてたちまち強 力の
たとへ数万の吾が部下を
ただ一言の悪言に
掌 覆すごとくなる
必ず過つ事なかれ
すべて善事に宣り直し
信の真をばよく悟り

汝が説を攻撃し
吾が身を深く省みよ
心の曲の汚れより
必ず覚悟し得るならむ
ただ一言の善言に
神の味方となりぬべし
味方となして誇るとも
感じてたちまち怨敵と
この真諦を省みて
ただ何事も世の中は
愛の善をばよく保ち
しかして後に世の人に

真の道を説くならば
決して反くものでない
神の教は目のあたり
すべて天地は言霊の
また言霊の御水火にて
治まり栄ゆるものぞかし
真善美愛の神の道
軍に仕へし諸人よ
心の岩戸を押し開き
あゝ惟神　惟神
厳の気吹ぞ尊けれ
月は盈つとも虧くるとも

いかなる外道の曲人も
誠一つは世を救ふ
現はれ来たる摩訶不思議
御水火によりて創造され
規則正しく賑はしく
あゝ惟神　惟神
学ばせ給へバラモンの
玉国別の神司
ここに一言宣り申す
神の授けし言霊の
旭は照るとも曇るとも
大三災の来たるとも

神に受けたる言霊を
すべての災(わざは)ひたちまちに
守(まも)らせ給(たま)へ言霊(ことたま)の
心(こころ)を清(きよ)め身(み)を浄(きよ)め
厳(いづ)の言霊(ことたま)宣(の)るなれば
皇大神(すめおほかみ)もエンゼルも
蒼生(あをひとぐさ)も草(くさ)や木(き)も
これの教(をしへ)を守(まも)るべし
皇大神(すめおほかみ)のお活動(はたらき)
仰(あふ)ぎ敬(うやま)ひ奉(たてまつ)れ

清く涼しく宣るならば
雲(くも)を霞(かすみ)と消(き)え失(う)せむ
善言美詞(ぜんげんびし)の太祝詞(ふとのりと)
その行(おこな)ひを清(きよ)くして
雲井(くもゐ)に高(たか)き天界(てんかい)の
地上(ちじやう)に現(あ)れます神々(かみがみ)も
その神徳(しんとく)を慕(した)ひつつ
偉大(ゐだい)なるかな言霊(ことたま)の
仰(あふ)ぎ敬(うやま)ひ奉(たてまつ)れ

四二　瑞の御霊

山河草木　子の巻（六一）　第八章「神台」第七五

宇宙のつくり主にます瑞の御霊の聖言とその神徳をたたえられた大本讃美歌。

一

瑞の御魂の言の葉は
青人草の朝夕に
その行ひは唯人の
天地の神の定めてし
心を清めて　魂　を
必ず過つこと勿れ

この世の中に生ひ出でし
行ひ行くべき務めなり
目には怪しく映れども
生ける誠の掟なり
直日に研き磨ぎすまし
神は愛なり光なり

二

瑞の御魂の霊幸はふ
恵みの露は天地に

空気の如く充ち足らふ
伊行き渡らひ隈もなく
仰ぎ尊べ厳御魂

三

草木も生えぬ岩山も
千代に八千代に語らねど
瑞の御魂の御恵みを
人は神の子神の宮
劣りし事のあるべきぞ
瑞の御魂の御聖苦

四

瑞の御魂は方円の
この世に生ける人の子よ
神の教に照らしつつ

誠の宣言は天地に
人の心を照らし行く
御袖の影に立ち寄りて
荒野ケ原のはてまでも
無言の言霊相放ち
弥永久に称ふなり
いかで山野の草や木に
省みせよや皇神の

器に随ひますと聞く
日に夜に心行ひを
おのが身魂をよく清め

瑞の御魂の御鏡に　珍の姿を映せかし
神は汝と倶にあり

四三　神浪

山河草木　子の巻（六一）　第一一章「神浪」第一〇七
三界の更生主にます出口聖師が、メシヤまたはミカエルとして神約のまにまに神定のエルサレムに天降りて、神の権威と栄光を顕現されるという大本讃美歌。

一
瑞の御魂の更生主　東の空に現はれて
塩の八百路の浪を超え　舟に乗りつつ神司
あまた引き連れエルサレム　神の都城にしづしづと
降り給はむ時は来ぬ　万の国の人草は
貴美の御栄光御恵みの　露にうるほひ勇みたち

天地も動ぐ言霊の　水火を合せて伏し拝む
その光景の眼前に　現はれ来たるぞ楽しけれ

二

まこと一つの瑞御魂　メシヤの神は舟にのり
神の都のエルサレム　再び御姿あらはして
今まで神の大道を　嘲り破り御使を
傷つけ殺しし曲人を　審判給へば罪人は
恐れをののき平伏して　嘆き悲しむ時は来ぬ
ア、諸人よ諸人よ　一日も早く眼を覚ませ
五六七の御代は近づけり

三

この世を洗ふミカエルの　面は月日と輝きぬ
千座の置戸を負はせつつ　囚獄の中に苦しみし
貴美の恵みは幸ひて　日出づる神代と成りにけり

よろこび祝へ人の子よ

四　天と地とは新しく　生まれ来たりし心地せり
広きこの世をしろしめす　メシヤの御座は定まりぬ
ハレルヤ　ハレルヤ　神の御国

四四　ミカエル

山河草木　子の巻（六一）　第一一章「神浪」第一〇九
世界の終末にあたりて、瑞の御魂はミカエルとして東方のエルサレム綾部の里に顕現して、神の約束をはたすために西のエルサレムに天降る準備をなして、再臨の日を待ちかね給うとの大本讃美歌。

一　この世の終末はちかづきぬ　瑞の御魂のミカエルは
八重棚雲をかきわけて　東の空のエルサレム

ヨルダン河の上流に
浮世の泥に染みながら
普く世人にあざけられ
笑みを湛へて言霊の
再び舟に打ちのりて
黄金の棹をさしながら
都をさして降ります
万の国人勇ましく
清めの主の再臨を

二

伊都の御魂の御教を
清めの御手に取りすがり
まことの道によみがへり

千座を負ひて生れましぬ
諸のなやみを身にうけて
いばらの冠を被せられ
大道を開き給ひつつ
天と地との中空を
大日の本のエルサレム
時こそ近づき来たりけり
音楽かなで花かざし
仰ぎよろこび迎へかし
信なひまつり美都御魂
御言のままに謹みて
天津御国にのぼりゆき

こよなき喜悦(きえつ)に充(み)ちあふれ
天津御神(あまつみかみ)のおんもとに
つかふる身魂(みたま)となれよかし

三

罪(つみ)にけがれし人(ひと)の眼(め)は
仁慈(じんじ)の神(かみ)の御顔(おんかほ)も
いかりのおもてとながむべし
神(かみ)は愛(あい)なり仁(じん)なれば
かならず人(ひと)を捨(す)てまさじ
一日(ひとひ)も早(はや)く罪(つみ)を悔(く)い
神(かみ)の御前(みまへ)に平伏(ひれふ)して
その日(ひ)の来(き)たるを待(ま)てよかし

四

この世(よ)の終(をは)りとなりにけり
仁慈(じんじ)の神(かみ)は瑞御魂(みづみたま)
清(きよ)めの主(ぬし)とさだめまし
栄光(さかえ)の舟(くも)にのらせつつ
日(ひ)の下国(もとくに)へ現(あ)れまさむ
聖(きよ)き月日(つきひ)は迫(せま)りきぬ
さばきの御声(みこゑ)のいと高(たか)く
聞(きこ)ゆるまでにたましひを
研(みが)き清(きよ)めてそなへせよ

四五　十曜の神旗

山河草木　丑の巻（六二）　第三章「神力」第二七六
ミロクの神代を樹立する厳霊、瑞霊の言霊神軍は、十曜の神旗をかかげて、善言美詞によって、すべてのものを言向け和すために活躍せよとの進軍の讃美歌。

一
立てよ奮へよ三五の　神のよさしの神軍よ
十曜の御旗翻し　総ての仇を言向けて
神の御稜威を四方の国　輝かすまで進み往け

二
皇大神は神軍を　あまた率きつれ大空の
雲掻き別けて下ります　醜の悪魔はいや猛く
押し寄せ来たる事あるも　何か怖れむ三五の

誠(まこと)の道(みち)の宣伝使(せんでんし)

三

立(た)てよ言霊神軍(ことたまみいくさ)よ
瑞(みづ)の御霊(みたま)を緯(ぬき)となし
仁慈(じんじ)の鎧(よろひ)を身(み)にまとひ
各自各自(おのもおのも)の職分(もちまへ)と

四

神(かみ)の御軍(みいくさ)漸(やうや)くに
声(こゑ)は天地(てんち)に揺(ゆ)らぐなり
受(う)けて栄(さか)えの神柱(かむばしら)
励(いそ)しみまつれ信徒(まめひと)よ
人(ひと)は神(かみ)の子(こ)神(かみ)の宮(みや)

厳(いづ)の御霊(みたま)を経(たて)となし
錦(にしき)の御旗(みはた)を織(お)りながら
智慧(ちゑ)の剣(つるぎ)を打(う)ちかざし
身(み)も棚知(たなし)らに進(すす)むべし
終(をは)りを告(つ)げて勝鬨(かちどき)の
永久(とは)の生命(いのち)の冠(かむり)をば
経(たて)と緯(よこ)との経綸(けいりん)に
神(かみ)は汝(なんぢ)と倶(とも)にあり

四六 玉の御声

山河草木 丑の巻（六二） 第四章「神慈」第二八四

一

伊都の御霊や美都御霊 玉の御声は爽やかに
天津空より聞え来ぬ ア、諸人よ諸人よ
耳をすませて逸早く 神の吹きます角笛の
御許に勇み寄り集へ 神は愛なり力なり

二

海山隔てし遠方の 異国人に御恵みの
訪れ伝へ得ずとても せめては間近き住人に
神の御教を宣べ伝へ 安けき国に導きて
錦の機の神業に 一人も多く仕ふべく
諭させ給へ惟神 御前に畏み願ぎ奉る

三　瑞(みづ)の御霊(みたま)の宣(の)り給(たま)ふ
語(かた)り得(え)ずとも村肝(むらきも)の
仁慈(じんじ)の神(かみ)の御心(みこころ)を
神(かみ)の御楯(みたて)と逸早(いちはや)く

四　雲井(くもゐ)に高(たか)く住(す)む人(ひと)や
珍(うづ)の教(をしへ)を詳細(まつぶさ)に
祈(いの)りをこらす神司(かむづかさ)
女童(をんなわらべ)に至(いた)るまで
卑近(ひきん)な言葉(ことば)を相並(あひなら)べ
救(すく)ひの栞(しをり)となし給(たま)ふ
天地(てんち)に並(なら)ぶものもなし
厳(いづ)の御魂(みたま)の尊(たふと)さよ

力(ちから)のこもりし言(こと)の葉(は)は
心(こころ)の限(かぎ)り身(み)を尽(つく)し
洽(あまね)く世人(よびと)に布(し)き教(をし)へ
ならしめ給(たま)へと願(ね)ぎ奉(まつ)る
鄙(ひな)に住(す)まへる人々(ひとびと)に
諭(さと)させ給(たま)へと朝夕(あさゆふ)に
いやしき伏(ふ)せ屋(や)に身(み)を起(おこ)し
悟(さと)り安(やす)きを旨(むね)となし
厳(いづ)の言霊(ことたま)打(う)ち出(だ)して
教祖(をしへみおや)の御功績(みいさを)は
あゝ惟神(かむながら)　惟神(かむながら)
為(な)す業(わざ)なしと世(よ)の業(わざ)を

怠り徒に日を暮す
眼を覚まし省みよ
身魂は亡びに近づけり
四方にさまよふ同胞に
宣べ伝へつつ神の子と
完全に委曲に尽すべし
人は神の子神の宮

人はこの世の曲津神
曇り果てたる世の人の
神の教を畏みて
神の救ひの御声を
生まれ出でたる務めをば
神は汝と倶にあり

四七　祭祀

山河草木　丑の巻（六二）　第四章「神慈」第二九一

宇宙の根本神にます皇大神の祭祀の本義を明らかにした讃美歌。

一
皇大神の御前を
斎き奉るは外ならず

神国(みくに)を望(のぞ)み黄泉(よみ)の国(くに)
逃(のが)れむために非(あら)ずして
庇(かば)ひ給(たま)へる御心(みこころ)の

二

皇大神(すめおほかみ)の御恵(みめぐ)みは
仇(あだ)なす身(み)をも恵(めぐ)みまし
根底(ねそこ)の国(くに)の暗(くら)きをも
その御恵(みめぐ)みに報(むく)いむと
神(かみ)に仕(つか)ふる吾々(われわれ)は

三

この世(よ)を造(つく)り給(たま)ひたる
愛(あい)の恵(めぐ)みに報(むく)いむと
祝(いは)ひまつりつ永久(とこしへ)の
あゝ惟神(かむながら)　惟神(かむながら)

百(もも)の責苦(せめく)を怖(お)ぢ恐(おそ)れ
力(ちから)なき身(み)も厭(いと)はずに
いと尊(たふと)さに報(むく)ふため
百(もも)の艱難(なやみ)を凌(しの)ぎつつ
天津御国(あまつみくに)の幸(さちは)ひも
照(て)らさせ給(たま)ふ有難(ありがた)さ
御祭仕(みまつりつか)へ奉(たてまつ)る
何(なん)の報(むく)いか望(のぞ)むべき
神(かみ)の功績(いさを)を称(たた)へつつ
真心(まごころ)こめて大前(おほまへ)を
守(まも)りの主(きみ)と仰(あふ)ぐのみ
いや永久(とこしへ)にましませよ

四八　水晶魂（すいしやうみたま）

山河草木　丑の巻（六二）　第二八章「神滝」第五二二

大本開祖が二十七年間絶叫された国祖国常立尊の神諭を要約された讃美歌。

一

水晶魂（すいしやうみたま）を選（え）りぬいて
絶体絶命（ぜつたいぜつめい）の世（よ）となりぬ
早七度（はやななたび）も近（ちか）づきて
驚（おどろ）き騒（さわ）ぐ醜魂（しこだま）の
さは然（さ）りながら何人（なにびと）も
誠（まこと）の道（みち）に還（かへ）りなば
平和（へいわ）の御国（みくに）にやすやすと

身魂（みたま）のあらため為（な）し給（たま）ふ
この世（よ）は変（かは）る紫陽花（あぢさゐ）の
神（かみ）の審判（さばき）も目（ま）のあたり
身（み）の果（は）てこそは憐（あは）れなり
心（こころ）の柱（はしら）を立直（たてなほ）し
本津御神（もとつみかみ）はよろこびて
進（すす）ませ給（たま）ふぞ尊（たふと）けれ

二

こころ改め大道に　向って進む人々は
神の恵みに助けられ　常世の春に遊ぶべし
悪念晴れず疑ひの　強く神慮に反きなば
必ず懲戒来たるべし　皇大神の御言葉は
厳のごとく山のごと　いや永久に動きなし

三

人の表面は変るとも　易りがたきは霊魂なり
神の御言をかしこみて　天授の魂を良く研き
やがて来たらむ皇神の　さばきの時の備へせよ
神は愛なり権威なり

四

わが脚下に注意して　かならず過つことなかれ
源涸れて川下の　水汲み得べき道理なし
山野の木草もそのごとく　根本なければ幹もなく

花咲き匂ふ枝もなし　根本と幹と枝葉とは
同じ一木の身魂なり　根本を大事に守るべし
三千世界の梅の花　一度に開く時は来ぬ

五

スメール山に艮の　皇大神のあれまして
治めたまはる五六七の代　月日と倶に迫りけり
敬ひ畏み大道に　叶ひまつれよ諸人よ

四九　大聖師

山河草木　卯の巻（六四・上）　第二章「宣伝使」

瑞月出口王仁三郎聖師の大救世主としての神格と神業を明示されたもので、同章の中でババハーウラーのメシヤ・キリストの再臨としての九大資格の質問にブラバーサが答えている内容と合致している。

三千世界の人類や　禽獣虫魚に至るまで

救ひの御船を差向けて
神幽現の大聖師
閃くごとく現はれぬ
誠の智慧を胎蔵し
すべての権威に超越し
甘受し世界を助け行く
森羅万象に供給し
精神上の王国を
無限の仁慈を経となし
小人弱者の耳に克く
徹底的に唱導す
威力に言向和しつつ

誠の教を諭しゆく
太白星の東天に
一切万事救世の
世間のあらゆる智者学者
迫害苦痛を一身に
歓喜と平和を永遠に
至幸至福の神恵の
この土の上に建設し
無窮の知識を緯として
理解し易き明教を
いかなる悪魔も言霊の
寄せくる悲哀と災厄を

少しも心にかけずして
裁制断割の道極め
悪魔の敵に会ふごとに
信仰熱度を日に加へ
真の文明を完成し
凡ての教義を統一し
不言実行体現し
神の教と神力に
光を四方に輝かす
奉仕するこそ世を救ふ
あゝ惟神　惟神

所信を飽くまで貫徹し
神人和合の境に立ち
心はますます堅実に
三千世界に共通の
世界雑多の宗教や
崇高至上の道徳を
暗黒無道の社会をば
照破しつくし天津日の
仁慈の神の神業に
大神人の任務なれ
御霊幸へましませよ

五〇　処世の要訣（治道居士）

山河草木　辰の巻（六五）　第一二章「天恵」

ハルセイ沼の畔で、治道居士に天地の道理を説諭されて誠の道に立ち返った感謝組のヤク以下は、虎熊山に牢番と化けこんで、デビス姫、ブラバーダ姫を救い、セール以下を改心せしめ、エルサレムへ進む道すがら、改心はしたものの食うに食なく住むに家なく、学識才能なき彼らは、将来の身の振り方について大なる疑惑を起こし、治道居士にこれが解説を求めた。

天津御空を翔つ鳥も
神の恵みに包まれて
立派に命をつなぎをる
天は不食の民草を
誠の道に叶ひなば

山野に棲まへる 獣も
今日の貯へなくとても
人は神の子神の宮
いかでか造り給ふべき
慈愛の神は吾々の

身魂(みたま)を安(やす)きに守(まも)りつつ
命(いのち)の糧(かて)を賜(たま)ふべし
この世(よ)に生(い)くべきものならず
吸収(きふしう)したるその上(うへ)は
求(もと)むるならば皇神(すめかみ)は
必(かなら)ず授(さづ)け給(たま)ふべし
尽(つく)しながらも食物(しよくもつ)に
未(いま)だ全(まつた)く皇神(すめかみ)の
霊主体従(れいしゆたいじう)の真心(まごころ)に
必(かなら)ず衣食住業(いしよくぢうげふ)に
先(ま)づ第一(だいいち)に魂(たましひ)を
神(かみ)の大道(おほぢ)を歩(あゆ)むべし

永遠(とは)の栄(さか)えと喜(よろこ)びと
そもそも人(ひと)はパンのみで
霊(みたま)の餌(ゑさ)をたくさんに
肉体(にくたい)守(まも)る食物(しよくもつ)を
必要(ひつえう)と認(みと)めし物(もの)ならば
神(かみ)の誠(まこと)の大道(おほみち)に
貧(まづ)しく暮(くら)し苦(くる)しむは
心(こころ)に叶(かな)はぬしるしぞや
立(た)ち返(かへ)りたる人々(ひとびと)は
普(あまね)く幸(さちは)ひ賜(たま)ふべし
研(みが)いて心(こころ)を相清(あひきよ)め
神(かみ)は汝(なんぢ)と倶(とも)にあり

いかでか見すて給はむや
豊かに養ひ給ひます
飢ゑて死すべき理あらむや
神の教に身を任せ
力かぎりに吾が業に
これが処世の第一の
あゝ惟神　惟神
汝が迷へる魂の
進めよ進め神の道
人は神の子神の宮

鳥獣も大神は
況んや人の身をもつて
ただ惟神　惟神
心を砕き身を砕き
朝な夕なに仕ふべし
万古狂はぬ要訣ぞ
神の教に従ひて
ひびきに答へまつるなり
励めよ励め人の業
神は汝と倶に在り

五一　エルサレム　（真純彦）

山河草木　辰の巻（六五）　第二五章「道歌」

サンカオ山を出発し、聖地エルサレムに程近きヨルダン河の北岸を進み行く玉国別、真純彦の両名は、初雅姫より、神は順序であること、聖地に魔神の多いこと、「惟神」の最も必要なることなどについて深刻明快なる活教訓を受け、法悦にひたりつつ聖地に進み行く。

ア、有難や有難や　待ちに待ったるエルサレム
吾が目の前に開展し　何とはなしに村肝の
心は勇み身は踊り　足の歩みも軽々と
知らずに早くなりにけり　ただ何事も惟神
神に任せと姫さまの　千古不滅の御教訓
今更ながら有難く　感謝の涙ただよひぬ

神が表に現はれて
この世を造りし神直日
ただ何事も人の世は
身の過ちは宣り直す
ついうかうかと忘れ行く
取越し苦労や過越しの
善悪正邪に超越し
心のままに任しなば
いと平らけく安らけく
今更のごと悟りけり
月は盈つとも虧くるとも
神の誠の御教に

善と悪とを立別ける
心も広き大直日
直日に見直し聞直し
神の教を聞きながら
人の心ぞ浅ましき
苦労をやめて刹那心
ただ何事も皇神の
いかなる重き神業も
奉仕し得べき真諦を
朝日は照るとも曇るとも
たとへ大地は沈むとも
従ひ進む身なりせば

いかなる枉の猛びをも　いと安々と免れむ
次第次第にエルサレム　山の景色も近づきて
茂り合ひたる橄欖の　木の葉の風にそよぐさま
見ゆるばかりになりにけり　いよいよこれよりゲッセマネ
神の集まる花園に　時々刻々に近づきて
神の柱に会ふならむ　思へば思へば勇ましや
あゝ惟神　惟神　御霊幸へましませよ

五二　浪の鼓（ヨリコ姫、花香姫）

山河草木　午の巻（六七）　第五章「浪の鼓」
ハルの湖の静寂を破って、梅公の口より音吐朗々と読誦される『神仏無量寿経』は波切丸の甲板に響き渡る。ヨリコ姫、花香姫はこれを拝聴して感激にたえず、各船室に帰り神徳を讃美した。

（ヨリコ姫）

子

伊都の御霊の大御神　出現ませし其の日より
早三十年を経給へり　法身光明きはもなく
暗黒世界を照らし給ふ

丑

愛と信との光明は　無明の闇を照らしつつ
一念歓喜し信頼し　まつらふ人を天国の
真楽園に生ぜしめ給ふ

寅

皇大神の霊暉より　無碍光威徳洪大の

信と愛とを摂受して　瑞の御霊と向上し
菩提の清水を汲ませ給ふ

卯

愛と善との神徳と　虚偽と悪との逆業は
水と氷の如くにて　氷多きに水多し
障多きに徳多し

辰

五濁悪世の万衆の　選択神に在しますと
信じまつれば不可称辞　不可説不可思議もろもろの
御徳は爾の身に充たむ

巳

愛と善との大徳と　信と真との大慈光

蒙ぶる神の道の子は
法悦道に進み入り
安養世界に帰命せむ

午

生死の苦海は極みなし
永久に沈める蒼生は
伊都能売主神の御船のみ
吾らを乗せて永遠の
天津御苑へ渡すなり

未

五六七如来の大作願
苦悩の有情を捨てずして
万有愛護の御誓ひ
信真光をば主となして
愛善心をば成就せり

申

五六七如来の神号と
それの光徳智証とは

無明長夜の暗を破し
志願を充たせ給ふなり

所在一切万衆の

酉

吾が罪業を信知して
すなはち汚ゑの身は清く
法性 常楽証せしめ給ふ

瑞霊の教に乗ずれば
全天界に昇往し

戌

厳瑞慈悲の大海は
神の誓ひの御船に
その身は愛風に任せたり

智愚正邪の波もなし
乗りて苦界を渡り行く

亥

多生 曠 劫この世まで

愛護を受けしこの身なり

厳瑞二霊に真心を
捧げ奉りて神徳の
高きを称へ奉るべし

子　（花香姫）

暗黒無明の現界を
憐れみ給ひて伊都能売の
神の慈光の極みなく
無碍光如来と現はれて
安養世界を建て給ふ

丑

伊都能売霊魂の光には
歓喜清浄愛と信
充満なしてその智証
顕神幽に貫徹し
天人地人を息ましむ

寅

顕神幽の三界の
天人および蒼生は

現瑞二霊伊都能売の
大光明に喜悦せむ

卯

金剛不壊的信仰の
伊都能売御魂の聖霊光
生死を超越させ給ふ

辰

悪と虚偽との逆徳に
大光明は見えねども
常にわが身を照らすなり

巳

東西両洋の聖師たち

み名に依りて信真の
定まる時を待ち得てぞ
普く照護し永遠に
遮断せられて摂取の
愛の全徳幸ひて
哀愍摂受を怠らず

愛（あい）と信（しん）とを世（よ）に拡（ひろ）め
天下（てんか）の蒼生（さうせい）隔（へだ）てなく
信楽境（しんらくきやう）に入（い）らしめよ

午

救世（ぐぜい）の聖主（せいしゅ）に遇（あ）ひ難（がた）く
瑞霊（ずいれい）の教（をしへ）聞きがたし
神使（しんし）の勝法（しようほふ）聞（き）くことも
稀（まれ）なりといふ闇（やみ）の世（よ）に
聴（き）くは嬉（うれ）しき伊都能法（いづののり）

未

三千世界（さんぜんせかい）一同（いちどう）に
輝（かがや）く光明（くわうみやう）かしこみて
神（かみ）の御名（おんな）と御教（おんをしへ）
聴（き）き得（う）る人（ひと）は常永（とこしへ）に
不退転位（ふたいてんゐ）に進（すす）むなり

申

聖名（しやうみやう）不思議（ふしぎ）の海水（かいすい）は
悪逆無道（あくぎやくぶだう）法謗（ほふばう）の

屍体も止めず衆悪の
功徳の潮水に道味あり

酉

伊都能売御魂の御神徳
愛と信との海水に
遂に無限の道味あり

戌

悪と虚偽とに充たされし
愛と善との徳にをり
浴して御国に昇り得む

亥

聖 教権仮の方便に

万河一つに帰しぬれば

尽十方無礙なれば
煩悩不脱の衆流も

吾らは神にまつろひて
信と真との光 明に

万衆久しく止まりて

三界流転(さんがいるてん)の身(み)とぞなる
一乗帰命(いちじようきみやう)す天津国(あまつくに)

神(かみ)に信従(しんじう)する身魂(たま)は

五三　戦(せん)伝(でん)歌(か)（梅公別）

山河草木　未の巻（六八）　第一六章「戦伝歌」
照国別に従いてイソの館を出発、至る所に曲神を言向和し、大功を奏したる三五教の宣伝使梅公別は、タラハン城市の危急を救うべく、白馬にまたがり、漂渺として天につづくデカタン高原の大原野を進みつつ歌う。

朝日(あさひ)は照(て)るとも曇(くも)るとも
たとへ大地(だいち)は割(わ)るるとも
神(かみ)の教(をしへ)に従(したが)へば
怖(お)ぢ恐(おそ)るべきものはなし

月(つき)は盈(み)つとも虧(か)くるとも
誠一(まことひと)つの三五(あななひ)の
この世(よ)の中(なか)に一(いっ)として
神(かみ)が表(おもて)に現(あら)はれて

神と鬼とを立別ける
心も清き大直日
ただ惟神　惟神
罪を見直し聞直し
行方に曲の現はれて
神の恵みに包まれし
襲ひ来たれよ曲津神
吾には厳の備へあり
幾億万の魔軍も
言向和し進むべし
一度に開く神の教
月日と土の恩を知れ

この世を造りし神直日
ただ何事も人の世は
広き心に宣り直し
許して通る神の道
吾が身にいかなる仇なすも
誠の身魂何かあらむ
戦ひ挑めよ大蛇ども
生言霊の武器をもて
瞬くうちにいと安く
三千世界の梅の花
開いて散りて実を結ぶ
この世を救ふ生神は

高天原(たかあまはら)に現(あ)れませり
神(かみ)の任(よさ)しの宣伝使(せんでんし)
いろいろ雑多(ざつた)の災(わざは)ひや
無人(むじん)の境(さかひ)を行(ゆ)くごとく
神(かみ)の大道(おほぢ)を開(ひら)き行(ゆ)く
御霊幸(みたまさちは)へましませよ

ア、勇(いさ)ましや勇(いさ)ましや
月(つき)の御国(みくに)に降(くだ)り来(き)て
百(もも)の苦(くる)しみ甘受(かんじゆ)しつ
春野(はるの)を風(かぜ)の渡(わた)るごと
あゝ惟神(かむながら) 惟神(かむながら)

五四 神(かみ)の使(つかひ)（春乃姫）

山河草木 申の巻（六九） 第一〇章「宣両」

珍の国の国司の娘春乃姫は、珍の国の大動乱を救わんために、東奔西走、神教を国民に伝達した。

神(かみ)はこの世(よ)の救(すく)ひ主(ぬし)
厳(いづ)と瑞(みづ)との二柱(ふたはしら)

常世の闇をはらさむと
助けの神と現はれて
この世を造りし神直日
直日の御霊現はれて
貧しき人を富ましつつ
可憐の民を救ふなり
悪魔の世界を射照らして
救ひの神は天にあり
天と地との真中に
いづれも神の御子ぞかし
吾が子の悩み苦しみを
神には神のそなへあり

天津空より降ります
善悪邪正を立別ける
心も広き大直日
悪を戒め善を賞め
生活難に苦しめる
誤解と矛盾に充たされし
松の神代に立直す
恵みの神は地にます
生ひ育ちたる民草は
神は汝等の親なるぞ
いかでか見すて給ふべき
しばらく待てよ神の子等

五六七の柱現はれて
充てる社会を建設し
来たし給ふは目のあたり
その日の境遇に甘んじて
旭は照るとも曇るとも
星は御空にきゆるとも
たとへ地震強くして
地上に壊れ崩るとも
可憐の御子を救ふべし
山野に生ひたつ人草よ
神は汝と共にあり
勇んで時の至るをば

光と栄えと喜びに
神人和合の瑞祥を
心を研き身をきよめ
天地の時を待てよかし
月は盈つとも虧くるとも
山裂け海は浅するとも
大厦高楼たちまちに
恵みの神は誠ある
喜び勇め四方の国
山野に生ひたつ神の子よ
勇めよ勇め皆勇め
神に祈りて待てよかし

あゝ惟神　惟神
神の恵みに如くはなし
三五教の宣伝使
瑞の御霊の大神の
宣べ伝へゆく神司
合点のゆかぬ事あらば
深き教を聞けよかし
神に代りて何事も
あゝ惟神　惟神

神にまされる力なし
吾はこの世を教へゆく
斎苑の館に現れましし
聖き教を世に弘く
何れの人も世の中に
吾が目の前に集まりて
吾等は神の御使
完全に委曲に諭すべし
御霊の恩頼を願ぎ奉る

五五　月（つき）の恵（めぐ）まひ

「神の国」大正十三年三月十日号　十七頁
出口聖師が瑞御霊としての神業を太陰に托して詠まれた宣伝神歌。

われは三五（さんご）の望（もち）の月（つき）
夜（よる）の権威（けんゐ）を独占（どくせん）し
百千万（ももちよろづ）の草木（さうもく）や
全身（ぜんしん）隈（くま）なく浴（あ）びながら
我（われ）は三五（さんご）の貴（うづ）の月（つき）
温和（をんわ）な顔（かほ）を差出（さしい）だし
影（かげ）は一時（いちじ）に薄（うす）らぎて
地上（ちじやう）はるかに見（み）おろせば

下界（げかい）の闇（やみ）を照（て）らしゆく
地上（ちじやう）の山河（さんか）を射照（いて）らせば
生物共（せいぶつども）はわが露（つゆ）を
蘇生（そせい）蘇生（せい）と歌（うた）ふなり
あづまの海（うみ）を射照（いて）らして
空（そら）をのぞけば綺羅星（きらほし）の
全大宇宙（ぜんだいうちう）の大権威（だいけんゐ）
ポタリとおちた暗闇（くらやみ）も

にはかに晴れて花のごと
皆一様に光り出す
われは三五の貴の月
瑞の光を射照らせば
空宙にさまよふ曲神は
われは五月の空の月
黒白も分かぬ真の闇
行手に迷ひ歎く時
何者なるかと覗へば
闇の下界を救へよと
登り来たりて泣き叫ぶ
我は天の戸押し分けて

山野の草木海河も

大空高く位地を占め
数多の星は影かくし
煙と消えて跡もなし
下界は雲に包まれて
地上の有象無象らが
思ひもよらぬ声聞ゆ
五月の空の杜鵑
須弥仙山の頂に
あまりの声の悲しさに
十重に二十重に包みたる

八重棚雲を押し開き
照らして救ふ瑞の月
我は敏鎌の三日の月
下界はるかに見わたせば
村々町々ことごとく
この圏内に在る人は
我は冷たき秋の月
文月の空に現はれて
巷に住める人々は
牡丹餅ささげ我を待つ
我は七月十二夜の
三五の月の御教を

朧げながら夏の夜を

中天低う現はれて
山の後ろに当りたる
輪廓正しき闇の中
山が高いと悔んでる
地獄の釜のあくといふ
丸い姿を伊照らせば
盆よ盆よと打ち騒ぎ

まだまろからぬ瑞の月
天津御空はいふもさら

豊葦原の全体に
包む雲路を掻き分けて
草木も露に霑ひて
歌ふぞめでたき松の月
波も静かに治まりて
進み行くこそ楽しけれ

輝かさむと十重二十重
光を投ぐる地の上
冬をも知らぬ喜悦を
世は高砂の末永く
五六七の御代の　魁　と

五六　愛　善　の　歌

「人類愛善新聞」第七号　昭和四年三月三日
出口聖師が大正十四年六月九日人類愛善会を創立されて、会の大精神を示された歌。

天津御国にあるものは
現実界にある愛は

神より出でし愛の善
一切万事自然愛

自己愛または世間愛
善悪正邪の区別あり
宇宙万有一切を
おきては外に何もなし

わが住む国土を愛するは
責任なれば自己愛も
神より見れば愛悪ぞ
愛とはいへど偏頗あり

永遠無窮にへだてなし
総ての障壁とりのぞき
大御心に神ならひ
この地の上に天国の

同じ愛とはいひながら
絶対無限の真愛は
創造したる主の神を
わが身を愛しわが郷里

皆それぞれの住民の
咎むるわけにはゆかねども
現実界の一切は
天津御国の真愛は

われら愛善会員は
世の大本の主の神の
愛悪世界を改善し
永遠無窮に滅びざる

まことの愛善樹立せむ
愛善主義の吾らには
いざ起て進め益良夫よ
全地の上にひるがへし
この地の上に樹立せむ
人は神の子　神の宮
愛善主義を拓くべし
御霊幸ひましませよ

大本宣伝歌　終り

あゝ惟神　惟神
天津御国の守りあり
人類愛善神旗をば
真善美愛の天国を
神は吾らと共にあり
神に習ひてどこまでも
あゝ　惟神　惟神

あとがき

本書は出口王仁三郎聖師著「霊界物語」の中から神歌、宣伝歌を集めたものであります。宇宙主神の至仁至愛の大御心と、みろくの世実現の大経綸を啓示された教えの精髄ともいうべきものであります。

神が神威霊徳を発揮される最高の神器は言霊であります。つねに、この宣伝歌を朗誦して、神徳をいただき、世の中を清める言向和しの神業に奉仕させて頂きたいものであります。

本書に親しまれた人々は、進んで霊界物語・全八十二巻を拝読されますように、おすすめいたします。

平成十二年八月十二日

編者識

大活字

大本宣伝歌

平成一三年一〇月一八日　第一刷発行
令和元年八月七日　第四刷発行

編集者　教学研鑽所
発行者　西野貴光
印刷兼発行所　株式会社　天声社
京都府亀岡市古世町北古世八二―三
電話　〇七七一―二四―七五二三
振替京都　〇一〇一〇―九―二五七五七

定価　本体一、〇〇〇円＋税
ISBN978-4-88756-081-9